300

bri...ques
& américaines
✳
300 British & American
Jokes

pour rire en anglais

4ᵉ édition

---

par

Jean-Pierre BERMAN
*Ancien Assistant à l'Université
de Paris IV-Sorbonne*

Michel MARCHETEAU
*Agrégé de l'Université
Professeur Émérite à l'École
Supérieure de Commerce de Paris*

Michel SAVIO
*Professeur honoraire
à l'École Supérieure d'Électricité*

Langues pour tous
Collection dirigée par Jean-Pierre Berman, Michel Marcheteau et Michel Savio

ANGLAIS Série bilingue

Niveaux : ❏ facile ❏❏ moyen ❏❏❏ avancé

Littérature anglaise et irlandaise

- **Carroll (Lewis)** ❏
  Alice au pays des merveilles
- **Churchill (Winston)** ❏❏
  Discours de guerre 1940-1946
- **Cleland (John)** ❏❏❏
  Fanny Hill
- **Conan Doyle** ❏
  Nouvelles (6 volumes)
- **Dickens (Charles)** ❏❏
  David Copperfield
  Un conte de Noël
- **Fleming (Ian)** ❏❏
  James Bond en embuscade
- **French (Nicci)** ❏
  Les gens qui sont partis
- **Greene (Graham)** ❏❏
  Nouvelles
- **Jerome K. Jerome** ❏❏
  Trois hommes dans un bateau
- **Kinsella (Sophie), Weisberger
  (Lauren)**
  Love and the City ❏
- **Kipling (Rudyard)** ❏
  Le livre de la jungle (extraits)
- **Mansfield (Katherine)** ❏❏❏
  Nouvelles
- **Masterton (Graham)** ❏❏
  Nouvelles
- **Maugham (Somerset)** ❏
  Nouvelles brèves
- **McCall Smith (Alexander)**
  Contes africains ❏
- **Stevenson (Robert Louis)** ❏❏
  L'étrange cas du Dr Jekyll
  et de Mr Hyde
- **Wilde (Oscar)**
  Nouvelles ❏
  Il importe d'être constant ❏
- **Woodhouse (P.G.)**
  Jeeves, occupez-vous de ça ! ❏❏

Ouvrages thématiques

- **L'humour anglo-saxon** ❏
- **300 blagues britanniques
  et américaines** ❏❏

Littérature américaine

- **Bradbury (Ray)** ❏❏
  Nouvelles
- **Chandler (Raymond)** ❏❏
  Les ennuis c'est mon problème
- **Hammett (Dashiell)** ❏❏
  Meurtres à Chinatown
- **Highsmith (Patricia)** ❏❏
  Crimes presque parfaits
- **Hitchcock (Alfred)** ❏❏
  Voulez-vous tuer avec moi ?
- **King (Stephen)** ❏❏
  Nouvelles
- **Poe (Edgar)** ❏❏❏
  Nouvelles
- **London (Jack)** ❏❏
  Histoires du grand Nord
  Contes des mers du Sud
- **Fitzgerald (Scott)**
  Un diamant gros comme
  le Ritz ❏❏
  L'étrange histoire
  de Benjamin Button ❏

Anthologies

- **Nouvelles US/GB** ❏❏ **(2 vol.)**
- **Les grands maîtres
  du fantastique** ❏❏
- **Nouvelles américaines
  classiques** ❏❏
- **Nouvelles anglaises
  classiques** ❏❏
- **Ghost Stories – Histoires
  de fantômes** ❏❏
- **Histoires diaboliques** ❏❏

Autres langues disponibles dans les séries de la collection
Langues pour tous

ALLEMAND · AMÉRICAIN · ARABE · CHINOIS · ESPAGNOL · FRANÇAIS · GREC · HÉBREU
ITALIEN · JAPONAIS · LATIN · NÉERLANDAIS · OCCITAN · POLONAIS · PORTUGAIS
RUSSE · TCHÈQUE · TURC · VIETNAMIEN

Contents

3

Le papier de cet ouvrage est composé de fibres naturelles, renouvelables, recyclables et fabriquées à partir de bois provenant de forêts plantées et cultivées durablement pour la fabrication du papier.

© 2008 – Langues pour Tous,
Pochet, Département d'Univers Poche
ISBN : 978-2-266-17863-1

Présentation

Les blagues sont un moyen très efficace de se familiariser avec l'anglais.

● D'une part, on retient mieux ce qui nous à fait rire ; d'autre part, on est sûr(e) d'apprendre en s'amusant une langue moderne, familière et idiomatique, qui est par nature celle des blagues.

● De plus, savoir ce qui fait rire un peuple, c'est le mieux connaître et mieux appréhender sa culture, et c'est aussi percevoir à quel point nous sommes à la fois différents et semblables.

● Enfin, dans la vie privée comme dans les activités professionnelles, rien ne détend mieux l'atmosphère qu'une bonne plaisanterie ou une histoire drôle. Que ce soit au cours d'un repas, d'une négociation, etc., les blagues sont un bon moyen de créer une atmosphère de complicité.

● En particulier, tous ceux et toutes celles qui sont amenés à prendre la parole en public en anglais trouveront dans ce petit ouvrage une mine de ces « **opening jokes** » ou « **closing jokes** » avec lesquelles les anglo-saxons ont coutume de commencer et de terminer leurs interventions, se conciliant ainsi à coup sûr les bonnes grâces de l'auditoire.

● Et de toutes façons, quel que soit l'usage que vous ferez de ces blagues, nous sommes certains que vous passerez un excellent moment à leur lecture, et que vous vous montrerez très doué(e) pour *rire en anglais* !

Comment utiliser la série « Bilingue » ?

Cet ouvrage de la série « Bilingue » permet aux lecteurs :
• d'avoir accès aux versions originales d'une sélection de blagues anglaises et américaines ;
• d'améliorer leur connaissance de l'anglais, en particulier dans le domaine du vocabulaire dont l'acquisition est facilitée par l'intérêt même du sujet.

Ce livre peut donc constituer un outil d'auto-enseignement, dont le contenu est le suivant :
• page de gauche, le texte anglais ;
• page de droite, la traduction française ;
• bas des pages, une série de notes explicatives.

Les notes de bas de page aident le lecteur à distinguer les mots et expressions idiomatiques d'un usage courant aujourd'hui.

Il est conseillé au lecteur de lire d'abord l'anglais, de se reporter aux notes et de ne passer qu'ensuite à la traduction ; sauf, bien entendu, s'il éprouve de trop grandes difficultés à suivre le texte anglais, auquel cas il lui faut se concentrer davantage sur la traduction, pour revenir finalement au texte original, en s'assurant bien qu'il en a maintenant maîtrisé le sens.

01

MEN & WOMEN

Hommes et Femmes

The man who says he can understand women is either a psychiatrist[1] or in need of one.

 L'homme qui dit connaître les femmes est soit un psychiatre soit en a besoin d'un.

---

1. On ne prononce pas le **p** dans **psychiatrist** [saïka**ï**etrist].

A happily married man has a wife who cooks, a wife who makes love like a rabbit, and a wife who works while he stays home. And if he's lucky, the three of them will never meet.

Even if a man understood women, he still wouldn't believe it.

I finally figured[1] out why they call it the mother tongue. Father never gets a chance to use it.

When all is said and done, men still have the last word. It's "Yes, dear."

A guy[2] meets a girl in the bar and she goes home with him. When they are relaxing after making love, he asks:

"Am I the first guy you ever made love to?"

She looks at him for a moments and says: "Of course you are! Why do you men always ask that same stupid question?"

Women: there are two types: those who have just had a baby and those who have just seen a bag in the window.

A recent survey[3] tried to determine why men get up in the middle of the night. Five percent, the survey concluded, got up to go the bathroom.

The other 95 percent got up to go home.

---

1. **to figure:** *penser ; figurer ; apparaître* ; ici : **to figure out**, *comprendre*.

2. **guy:** (familier) *gars, type*.

3. **survey:** 1. (ici) *étude, enquête*. 2. *vue d'ensemble*. 3. *sondage*. 4. *expertise*.

Un homme heureux en mariage a une femme qui fait la cuisine, une qui fait l'amour comme une lapine, et une femme qui travaille quand il reste à la maison. Et s'il a de la chance, les trois ne se rencontreront jamais.

Même si un homme comprenait les femmes, il n'y croirait toujours pas.

J'ai finalement compris pourquoi on parle de langue maternelle. Le père n'a jamais l'occasion de l'utiliser.

Quand tout est dit, les hommes ont toujours le dernier mot. C'est « Oui, chérie ».

Un gars rencontre une fille dans un bar et elle l'accompagne chez lui. Tandis qu'ils se détendent après avoir fait l'amour, il demande :

« Est-ce que je suis le premier avec qui tu as fait l'amour ? »

Elle le regarde et dit : « Bien sur que oui ! Pourquoi vous les hommes posez toujours cette même question idiote ? »

Femmes : il y en a de deux sortes : celles qui viennent d'avoir un bébé et celles qui viennent de voir un sac dans une vitrine.

Une étude récente a essayé de déterminer pourquoi les hommes se lèvent au milieu de la nuit. Cinq pour cent, a conclu l'étude se lèvent pour aller aux toilettes.

Les autres quatre-vingt-quinze pour cent se lèvent pour rentrer chez eux.

The Rules According to a Woman

1) The woman always makes the Rules.

2) The Rules are subject to change at any time without prior[1] notification.

3) No man can possibly know all the Rules.

4) If the woman suspects the man knows the Rules, she must immediately change them.

5) If the woman is wrong, it is due to misunderstanding, which was a direct result of something the man did or said.

6) The man must apologize immediately for causing said misunderstanding.

7) The woman may change her mind at any time.

8) The man must never change his mind without the express written consentof the woman.

9) The woman has every right to be angry and / or upset[2] at any time.

10) The man must remain calm at all times unless the woman wants him to be angry and / or upset.

11) The woman must, under no circumstances, let the man know whether or not she wants him to be angry or upset.

12) The man is expected to mind-read at all times.

---

1. **prior:** *préalable* ; *antérieur.*

Le règlement selon les femmes.

1) C'est toujours la femme qui établit le règlement.

2) Le règlement est sujet à modification à tout moment sans préavis.

3) Aucun homme n'a la possibilité de connaître tout le règlement.

4) Si une femme soupçonne un homme de connaître le règlement, elle doit immédiatement en changer.

5) Si une femme a tort, c'est dû à un malentendu, qui résulte directement de ce qu'un homme à fait ou dit.

6) L'homme doit immédiatement s'excuser d'avoir provoqué ce malentendu.

7) La femme peut changer d'avis à tout moment.

8) L'homme ne doit jamais changer d'avis sans l'accord express et écrit de la femme.

9) La femme à tous les droits d'être en colère et / ou contrariée à tous moment.

10) L'homme doit être calme à tout moment à moins que la femme ne veuille qu'il se mette en colère ou soit contrarié.

11) La femme ne doit en aucune circonstance laisser l'homme savoir si elle veut ou ne veut pas qu'il soit en colère ou contrarié.

12) L'homme est censé deviner les pensées à tout instant.

---

2. **upset:** *contrarié(e)* ; *dérangé(e)* ; *ennuyé(e)*.

Woman: How strange. You look like my fourth husband.

Man: My God! How many have you had?

Woman: Three!

A man tells friends that he's really a woman in a man's body, and he's going to get a sex-change operation.

Some months later, he runs into his friends. He has obviously undergone the sex-change operation.

One friend says, "It must have been awful when they cut off your penis."

"No, that wasn't so bad."

The second friend says:

"And when they cut off your testicles, that must have been terrible."

"No. It wasn't"

"The worst part was when I went back to work and they cut my salary in half."

Women are smarter than men , you will never see a woman marry a man because he's big-busted.

Show me the man who understands women, and I'll show you a man who's in for a big surprise.

I'm glad my wife's joined women's lib. Now, she complains about all men, not just me.

Femme : – Comme c'est étrange ! Vous ressemblez à mon quatrième mari.

Homme : – Mon Dieu ! Vous-en avez eu combien ?

Femme : – Trois !

Un homme raconte à ses amis qu'il est en réalité une femme dans un corps d'homme, et qu'il va subir une opération pour changer de sexe.

Quelques mois plus tard, il tombe sur ses amis. Il a de toute évidence subi l'opération de changement de sexe.

Un ami lui dit :

– Ça a dû être terrible quand ils t'ont coupé le pénis.

– Non, ça n'a pas été si terrible.

Un autre ami lui dit :

– et quand ils t'ont coupé les testicules, ça a dû être affreux.

– Non, pas du tout. le pire ç'a été quand je suis retourné au travail et qu'ils ont coupé la moitié de mon salaire.

Les femmes sont plus futées que les hommes ; vous ne verrez jamais une femme épouser un homme parce qu'il a une forte poitrine.

Montrez-moi l'homme qui comprend les femmes, et je vous montrerai quelqu'un qui aura une grosse surprise.

Je suis heureux que mon épouse ait rejoint le mouvement de libération de la femme. Maintenant elle se plaint de tous les hommes, pas uniquement de moi.

02

LOVE

Amour

– **Do you believe in** <u>**love at first sight**</u>**?**
– **I don't know, but it sure saves time.**

(Mae West[1])

– Vous y croyez au <u>coup de foudre</u> ?
– Je ne sais pas, mais c'est sur que ça gagne du temps.

---

1. **Mae West** (1893-1980), comédienne américaine, sexe symbole des années 20 à 40, célèbre pour ses réparties, parfois osées, à double sens.

He used to date[1] a schoolteacher. Every time he wrote her a love letter, she sent it back corrected.

Love is the triumph of imagination over intelligence. *(H.L.Mencken[2])*

Love: a temporary insanity, curable by marriage... *(Ambrose Bierce[3])*

When I'm good, I'm very good.

When I'm bad, I'm better. *(Mae West)*

– Know anything about love?
– No chance, I'm a married man.

Love is what happens to a man and a woman who don't know each other. *(W. Somerset Maugham[4])*

I took my wife on a cruise, and I fell in love all over again – with the redhead in the next compartment.

Love has its compensations – alimony for example.

Love, they say, is a lottery. Nonsense! Love is no lottery. With lottery you can win sometimes.

There'll never be an end to the war between the sexes. There's too much fraternizing with the enemy!

---

1. **to date:** 1.*donnez rendez-vous* 2. (ici) U.S., *sortir avec* ; 3. *dater*.
2. **H.L. Mencken** (1880-1956), journaliste et humoriste américain.

Il sortait avec une institutrice. Chaque fois qu'il lui écrivait une lettre d'amour elle la lui renvoyait corrigée.

L'amour c'est le triomphe de l'imagination sur l'intelligence.

L'amour : une maladie mentale temporaire guérissable par le mariage.

Quand je suis bonne, je suis très bonne.
Quand je suis vilaine / je me tiens mal, je suis meilleure.

– Vous connaissez quelque chose concernant l'amour ?
– Ça risque pas, je suis marié.

L'amour c'est ce qui arrive à un homme et une femme qui ne se connaissent pas.

J'ai emmené ma femme en croisière, et je suis à nouveau tombé amoureux – avec la rouquine de la cabine d'à côté

L'amour a ses compensations – une pension alimentaire par exemple.

On dit que l'amour est une loterie. Absurde ! L'amour n'est pas une loterie. A la loterie on peut parfois gagner.

Il n'y aura jamais de fin à la guerre des sexes. Il y a trop de fraternisation avec l'ennemi.

---

3. **Ambrose Bierce** (1842-1914), écrivain américain, voir *Tales of Soldiers*, dans Langues pour Tous, série monolingue.
4. **Somerset Maugham** (1847-1955), écrivain anglais. Voir bilingues Langues pour Tous.

03

COUPLES

Couples

I met my wife at a dance. It was really embarrassing. I thought she was at home with the kids.

J'ai rencontré ma femme dans un bal. C'était vraiment embarrassant. Je pensais qu'elle était à la maison avec les enfants.

In a mental home a nurse answers the phone. A man asks:

"Did one of your loonies[1] escape today?"

"I don't thing so, she says We check every day."

The man insists:

"Check again. Somebody ran away with my wife".

Boy: Do you know what virgins have for breakfast?

Girl: No, what?

Boy: Mmmm, just as I thought!

"What's the difference between a wife and a mistress?"

"About thirty pounds[2]."

A man comes home to find his wife in bed with his friend.

"What's going on here?" demands[3] the husband.

"See," says the wife to her lover, "I told you he was stupid."

"I'm divorcing my wife," Bill told his mates at the pub.

"She is too careless. I went to piss in the sink this morning, and it was still full of dirty dishes.

---

1. **loony** (pl. **loonies**): *dingue, malade mental.*
2. **pound:** unité de poids = 0,454 kg.
3. **to demand:** faux ami « partiel », signifie *demander* avec insistance au sens d'*exiger, réclamer.*

Dans un asile d'aliénés une infirmière répond au téléphone. Un homme lui demande :

– Est-ce qu'un de vos cinglés s'est échappé aujourd'hui ?

– Je ne crois pas, dit-elle. On vérifie tous les jours.

L'homme insiste :

– Vérifiez encore, dit l'homme, Quelqu'un s'est sauvé avec ma femme.

Garçon : – Est-ce que tu sais ce que les vierges prennent au petit déjeuner ?

Fille : Non, c'est quoi ?

Garçon : Mmm, c'est bien ce que je pensais !

– Quelle est la différence entre une épouse ᴱᵀ une maîtresse ?

– Environ trente livres.

Un homme rentre chez lui et trouve sa femme au lit avec un de ses amis.

– Qu'est-ce qui se passe ici, demande le mari.

– Tu vois, dit la femme à son amant, je t'avais dit qu'il était stupide.

– Je divorce d'avec ma femme, dit Bill à ses copains au pub. Elle est trop négligente.

Je suis allé pisser dans l'évier ce matin, et il était encore plein de vaisselle sale !

What's the difference between a new husband and a new dog?

After twelve months the dog is still glad to see you.

We went to Mexico on our honeymoon. Spent the entire two weeks in bed.

I had dysentery.

The policeman solemnly approaches the car and says: 'Sir, I'm sorry to tell you your wife fell out from your car a mile back'[1], he says.

'Oh, thank God,' the man replies. 'I thought I was going deaf.'[2]

I got married because I was tired of going to the launderette, eating take-away[3] food all the time and always having holes in my socks.

I got divorced for the same reasons!

I've got a new girlfriend. She reads modern novels, likes classical music and impressionist art and loves visiting museums. But then, nobody's perfect.

My mother-in-law broke up my marriage. My wife came home and found us in bed together.

(*Lenny Bruce*)

---

1. **I mile:** 1,609 km.
2. **deaf:** (*adj.*) *sourd(e)* ; (*n.*) **the deaf**, *les sourds*.
3. **take-away:** *à emporter* (plat).
4. **Lenny Bruce** (1925-1964), comédien et comique américain, à la vie chaotique, et meurt d'une overdose à 40 ans.

Quelle est la différence entre un, nouveau mari et un nouveau chien ?

Au bout d'un an, le chien est toujours content de vous voir.

Nous sommes allés au Mexique pour notre lune de miel. J'ai passé deux semaines entières au lit.

J'avais la dysenterie.

Le policier s'approche gravement de la voiture et dit : – Monsieur, je suis désolé de vous annoncer que votre femme est tombée de votre voiture à un mile d'ici.

– Oh, Dieu merci, répond l'homme, je pensais que je devenais sourd.

Je me suis marié parce que j'en avais assez d'aller à la laverie automatique, de manger tout le temps de la nourriture prête à emporter et d'avoir toujours des trous à mes chaussettes. J'ai divorcé pour les mêmes raisons.

J'ai une nouvelle petite amie. Elle lit des romans modernes, aime la musique classique et l'art impressionniste et adore visiter les musées. Mais alors, personne n'est parfait.

Ma belle-mère a brisé notre mariage. Ma femme est rentrée à la maison et nous a trouvé au lit ensemble.

– What would you say if I asked you to marry me?
– Nothing. I can't talk and laugh at the same time!

You must come to our house next time. Absolute peace. Neither of us ever says a word to each other. That's the secret of a successful union.

Alan Ayckbourn[1], Absent Friend, 1975)

Boy: Darling, We're going to have a wonderful time tonight. I've got three tickets for the theatre.
Girl: But why do we need three tickets?
Boy: They're for your mother, your father and your little sister!

– You're just my type, and you know why? Gentlemen prefer blondes.
– But I'm no blonde.
– And I'm no gentleman.

John arrives home from work and hears strange noises coming from the bedroom.
He runs upstairs and finds his wife in bed with his best friend.
He looks at the pair in utter[2] disgust before turning to his friend.
'Honestly, Bill,' he said. 'I have to[3], but you?'

---

1. **Alan Ayckbourn** (né en 1939 à Londres). Auteur de près de 70 pièces de théâtre, metteur en scène et directeur de théâtre.

– Qu'est-ce que vous diriez si je vous demandais en mariage ?

– Rien, je ne peux pas rire et parler en même temps / à la fois.

Il faut venir chez nous la prochaine fois. Une paix totale. Aucun de nous deux n'adresse un mot à l'autre. C'est le secret d'une union réussie.

Garçon : – Chérie. Nous allons passer une moment merveilleux cette nuit. J'ai trois billets pour le théâtre.

Fille : – Mais pourquoi avons-nous besoin de trois tickets ?

Garçon : – Ils sont pour ton père, ta mère et ta petite sœur.

– Vous êtes tout à fait mon genre, et vous savez pourquoi ?

Les gentlemans préfèrent les blondes.

– Mais je ne suis pas blonde.

– Et je ne suis pas un gentleman.

Arthur rentre du travail à la maison et entend des bruits étranges provenant de la chambre à coucher.

Il se précipite à l'étage et trouve sa femme au lit avec son meilleur ami.

Il regarde cette paire avec un profond dégoût avant de se tourner vers son ami.

– Honnêtement, Arthur, dit il, moi je suis obligé, mais toi ?

---

2. **utter:** 1. (ici) *absolu*, *total* 2. *véritable*, **an utter fool**, *un parfait idiot*
to utter, *prononcer*, *proférer* ; *émettre* (parole).
3. **to have to**, *avoir à*, *être obligé de*.

"Forgive me, Father, for I have sinned. Yesterday I made love to my wife."

The priest explains that there is nothing wrong with that.

"But Father, I did it with lust[1]."

"That's all right," says the priest, "that is no sin."

"But father, it was in the middle of the day."

"That's quite natural," replies the priest.

"But Father, I couldn't help myself. She leant over the deep freeze and I jumped on her. We made love on the floor. Am I banned from church?"

"Of course not!"

"What a relief. We've both been banned from Woolworths[2]."

Married is not a word but a sentence[3].

We sleep in separate rooms, we have dinner apart, we take separate vacations, we're doing everything we can to keep our marriage together.

My wife and I were considering a divorce. But when we looked at the cost of the lawyers, we decided to put in a new swimming pool instead.

– I was planning to marry her, but her family objected.

– Her family?

– Yes, her husband and four kids.

---

1. **lust:** 1. (ici) concupiscence, desir sexuel, luxure; 2. convoitise.

2. Chaîne de grands magasins.

26

– Pardonnez-moi, mon Père, car j'ai péché. Hier j'ai fait l'amour à ma femme.

Le prêtre explique qu'il n'y a rien de mal à ça.

– Mais, mon père, je l'ai fait avec concupiscence.

– C'est très bien, dit le prêtre, ce n'était pas un péché.

– Mais mon père, c'était au milieu de la journée.

– C'est tout à fait naturel, réplique le prêtre.

– Mais mon Père, je n'ai pas pu m'en empêcher. Elle s'est penchée sur le congélateur et j'ai sauté sur elle. On a fait l'amour sur le plancher. Suis-je interdit d'église ?

– Bien sûr que non !

– Quel soulagement. Nous avons tous les deux été interdits de Woolworths.

Marié n'est pas un mot mais une condamnation.

Nous dormons dans des chambres séparées, nous dinons à part, prenons des vacances chacun de notre côté, nous faisons tout ce que nous pouvons pour maintenir notre mariage.

Ma femme et moi avons envisagé de divorcer. Mais quand on a vu le prix des avocats, on a décidé d'installer une nouvelle piscine à la place.

– Je projetais de l'épouser, mais sa famille s'y est opposé.

– Sa famille ?

– Oui, son mari et ses quatre enfants.

---

3. Jeu de mot sur **sentence** qui signifie une *phrase* (opposée à **word**, *mot*) mais aussi une *condamnation*.

04

CHILDREN / FAMILY

Enfants / Famille

– **My father was very disappointed when I was born.**
– **Why? Did he want a girl?**
– **No, he wanted a divorce.**

– Mon père a été très déçu quand je suis né.
– Pourquoi ? Il voulait une fille ?
– Non, il voulait divorcer.

People who say they sleep like a baby usually don't have one.

– It must be time to get up, darling.
– How do you know?
– The baby's fallen asleep.

– What's the new baby's name?
– I don't know. We can't understand a word he says!

Father (proudly): My new baby looks just like me!
Nurse: Well, never mind. As long as he is healthy.

I was so surprised when I was born that I couldn't talk for a year and a half.

When he was a child he was kidnapped. His parents got a ransom note which read, 'Give us 10,000 pounds or you'll see your kid again.'

He killed his parents then asked for leniency on the grounds[1] that he was an orphan.

He read in the paper that in India it costs just ten pounds to support[2] a child for a year. So he sent his kids there.

If you ever feel like having a kid, go to a restaurant and sit next to one.

---

1. **grounds:** 1. (ici) *motif, raison, prétexte* ; 2. *terrain*.
2. **to support:** faux ami « partiel » : ne signifie *supporter* que lorsqu'il s'agit de *supporter* un poids ; sinon = *soutenir, subvenir aux besoins de*.

Les gens qui disent qu'ils dorment comme un bébé, en général n'en ont pas.

– Chérie, ça doit être l'heure de se lever.
– Comment tu le sais ?
– Le bébé s'est endormi. *s'éndormir*

– Quel est le nom du nouveau bébé ?
– Je ne sais pas. On ne comprend pas un mot de ce qu'il dit.

Père (fièrement) : – mon nouveau bébé est tout à fait comme moi.
Infirmière : – bien, ne vous en faites pas, tant qu'il est en bonne santé.

J'ai été si surpris quand je suis né, que je n'ai pas pu parler pendant un an et demi

Il a été kidnappé quand il était enfant. Ses parents reçurent une demande de rançon qui disait : Donnez-nous 10 000 £ sinon vous allez revoir votre enfant.

Il a tué ses parents puis a sollicité l'indulgence sous le prétexte qu'il était orphelin.

Il a lu dans le journal qu'en Inde ça ne coûte qu'une livre et demie pour nourrir un enfant pendant un an. Aussi il y a envoyé ses enfants.

Si jamais il vous arrive d'avoir envie d'avoir un enfant, allez au restaurant et asseyez-vous à côté d'un gosse.

– Is your baby a boy or a girl?
– Of course. What else could it be?

He's getting more like his father each day.
He sure is. This morning I found him playing with the corkscrew.

> (*Myrna Loy and Louise Beavers*[1])

– We're going to have a baby. That's my Christmas present to you.
– All I needed was a tie. (*Woody Allen*)

From the looks of those ears, she's gonna fly before she walks.

> (*Lawrence Tierney*[2] looking at a baby photo
> The Devil Thumbs a Ride 1947)

– Do you like children?
– I do if they're properly cooked.

> (*W.C. Fields*[3], Tillie and Gus 1933)

What's the difference between a British fairy tale and an American fairy tale?

A British fairy tale starts, "once upon a time there was ..."

An American fairy tale starts, "You Motherf***ers[4] ain't gonna[5] believe this sh*t[6], but..."

---

1. **Myrna Loy** (1919-2002) et **Louise Beaver** (1902-1962) stars d'Hollywood des années 40-50.
2. **Lawrence Tierney** (1919-2002), acteur américain, souvent gangster au cinéma.

– Est-ce que votre bébé est un garçon ou une fille ?
– Bien sur. Quoi d'autre pourrait-il être ?

– Il ressemble chaque jour plus à son père.
– Pour sur. Ce matin je l'ai trouvé en train de jouer avec le tire-bouchon.

– Nous allons avoir un bébé. C'est mon cadeau de Noël pour toi.
– Tout ce dont j'avais besoin c'était une cravate.

À voir ces oreilles, elle va voler avant de marcher.

– Aimez-vous les enfants ?
– Oui, s'ils sont correctement cuisinés.

Quelle est la différence entre un conte de fée britannique et un conte de fée américain ?
Un conte de fée britannique commence par : « il était une fois, il y avait... »
Un conte de fée américain commence : « Eh toi fils de pu...Tu vas pas croire cette connerie, mais...

3. **W.C.Field** (1980-1946), débuta au music-hall comme jongleur, et devint ensuite, un des grands comiques du cinéma américain du xxᵉ siècle.
4. **motherfucker** (grossier), *enfant de salope, enculé* (m.à. m. baiseur de ta mère).
5. **ain't = are not; gonna** (US)= **going to**.
6. **shit:** 1. (ici) *connerie* ; 2. *merde*.

05

SEX

Sexe

Is that a pistol in your pocket or are you glad to see me?

(Mae West)

Est-ce un pistolet dans votre poche ou bien vous êtes content de me voir ?

(Mae West)

A rich, lonely widow decides she needs a man in her life – so she places an advert in the local paper:

Rich widow looking for kind man to share life and fortune with.

Must never beat me up or run away – and has to be great in bed.

For several months, her phone keeps ringing and applications pour through her letterbox – but none seem to match[1] her specifications.

Then one day the doorbell rings. She opens the door to find a man, with no arms and no legs, lying on the welcome mat.

'Who are you?' she asked, perplexed. 'And what do you want?'

'Hi,' he replies, 'your search is over, for I'm the man of your dreams.

I've got no arms – so I can't beat you up – and no leg, so I can't run away.'

'Hmm,' she says, unconvinced. 'What makes you think that you're so great in bet?'

He looks at her smugly[2]. 'Well,' he grins. 'I rang the doorbell, didn't I?'

Two men sitting in McDonald's are having a hamburger when the town's fire alarm started to ring. One jumped up and headed for the door, the other called out, "I didn't know you were a fireman."

"I'm not," he replied, "but my girlfriend's husband is."

---

1. **to match:** 1. (ici) *correspondre à* : 2. *égaler, s'assortir à.*

Une veuve, riche et solitaire décide qu'il lui faut un homme dans sa vie – aussi passe-t-elle une annonce dans le journal local :

Veuve, riche, cherche homme gentil avec qui partager sa vie et sa fortune.

Ne doit pas me battre ni s'échapper – et doit être doué au lit.

Pendant plusieurs mois son téléphone n'arrête pas de sonner et les candidatures remplissent sa boîte à lettre – mais aucune ne semble correspondre à ses spécifications.

Puis un jour la sonnette d'entrée retentit. Elle ouvre la porte et trouve un homme sans bras ni jambes, gisant sur le paillasson.

– Qui êtes-vous ? demande-t-elle, perplexe. Et que désirez-vous ?

– Salut, répond-il, votre recherche a pris fin, car je suis l'homme de vos rêves.

Je n'ai pas de bras – donc je ne pas vous battre – et pas de jambes, donc je ne peux pas me sauver.

– Hum, dit-elle, peu convaincue. Qu'est-ce qui vous fait penser que vous êtes doué au lit ?

Il la regarde avec suffisance : – et bien, dit-il avec un grand sourire –, J'ai sonné à la porte, pas vrai ?

Deux hommes assis dans un MacDonald mangent un hamburger, lorsque la sirène d'alarme de la ville commence à retentir. L'un d'eux bondit et fonce vers la porte, l'autre lui lance : – je ne savais pas que tu étais pompier.

– Non, répond-t-il, mais le mari de ma maîtresse, oui.

---

2. **smugly (adv.):** *d'un ton suffisant* ; **smug** (adj.) *content de soi.*

A kid is watching his grandfather take a piss.
'Hey, Grandpa,' he says,
  'My dad has got two of those things.'
'What do you mean, son?' says the old man.
'Well, he's got a wobbly¹ one like that for pissing through, and a long, hard one for cleaning mummy's teeth.'

Just after take off, the captain makes his customary announcement to the passengers about the length of the journey, expected arrival time and so on. But after he's finished he forgets to turn off the microphone, turns to his co-pilot and says:
'Right, I'll finish off this sandwich, then I think I'll nip back and fuck that new red headed stewardess.'
In horror, the steward, who is at the rear of the plane, rushes toward the cockpit to prevent the captain's indiscretion going any further. An old lady grabs her arm as she goes past.
'Why be in such a rush, dear,' she says, 'He said he had to finish his sandwich first.'

Two ducks check in² an hotel for a night of love but, as they start to get undressed, they realize that they forgot their condoms. So they call room service and ask if they can get one. A bell boy arrives with a condom and says to the male duck:

– Shall we put it on your bill³?
And the male duck says angrily: – Do you think I am a pervert?

---

1. **wobbly:** *chancelant(e), flageolant(e)*.
2. **to check in:** (à l'hôtel) *se présenter à la réception*.

Un gosse regarde son grand-père faire pipi. – Hé, grand-père, dit-il, – Mon papa a deux de ces choses.

– Que veux-tu dire, fiston ? dit le vieil homme.

– Et bien, il en a un flageolant comme ça pour faire pipi, et un long et dur pour nettoyer les dents de maman.

Juste après le décollage le commandant de bord fait son annonce habituelle aux passagers concernant la longueur du voyage, l'heure d'arrivée prévue et ainsi de suite. Mais après avoir fini, il oublie d'éteindre le micro, se tourne vers son co-pilot et dit :

– Bien, je vais finir ce sandwich, puis je vais revenir en vitesse et baiser la nouvelle hôtesse rousse.

Horrifié, le steward qui est à l'arrière de l'avion, se précipite vers la cabine de pilotage pour empêcher que l'indiscrétion du commandant aille plus loin. Une vieille dame lui saisit le bras en le croisant / en passant.

– Pourquoi se précipiter comme ça mon cher, dit-elle, – il a dit qu'il devait finir son sandwich d'abord.

Deux canards arrivent dans un hôtel pour une nuit d'amour, mais alors qu'ils commencent à se déshabiller, ils s'aperçoivent qu'ils ont oublié leurs préservatifs. Aussi ils appellent le service en chambre et demandent s'ils peuvent en avoir. Un groom arrive avec un préservatif et dit au canard :

– Faut-il le mettre sur votre note ?

Et le canard, furieux, lui dit : – Vous pensez que je suis un pervers ?

---

3. jeu de mot sur **bill** qui signifie *addition*, *note* mais aussi *bec*.

A man is very suspicious of his wife's activities, so he asks his seven-year-old son to look out for any strange men calling at the house during the day. When he gets back from work, he asks his son to tell him all about what Mummy has been up to.

'Well,' says the son, 'Mr.Albert from next door came round and mummy started to kiss him.'

'And what happened next?' asks Daddy.

'Then Mummy took off all of her clothes.'

'That's enough,' he says. 'You can finish off the story on Saturday, when all the family are coming around.'

On Saturday, in the middle of the lunch, the man asks his son to tell what he saw to everyone.

'Well,' says the kid, Mr.Albert came round the other day and started to kiss Mummy, then Mummy took off her clothes and she and Mr.Albert went into the bedroom.'

'Yes,' says the father, 'now tell everyone what happened then.'

'So,' says the son, 'Mr Thomas and Mummy got on the bed and started playing that funny game you play with Aunt Betty.'

They had just met that night and were having a post-coital conversation.

"If I get pregnant," she said, "what will we call the baby?"

Pulling off his condom, tying it in a knot and flushing it down the toilet, he said, "Well, if he gets out of that, we'll call him Houdini.[1]"

---

1. **Houdini** (1887-1927), prestidigitateur américain d'origine hongroise ; célèbre, entre autre, pour s'évader d'une malle remplie d'eau, fermée et enchaînée.

Un homme est très soupçonneux au sujet des activités de sa femme, aussi demande-t-il à son fils de sept ans de guetter tout (homme) inconnu se présentant à la maison dans la journée.

Quand il revient du travail, il demande à son fils de lui raconter ce qu'a fait sa maman.

– Et bien, dit le fils, M.Albert le voisin d'à côté est venu et maman a commencé à l'embrasser.

– Et, qu'est-il arrivé ensuite ? demande le papa.

– Ensuite Maman a enlevé tous ses vêtements.

– C'en est assez, dit-il. – Tu pourras terminer l'histoire samedi quand toute la famille sera là.

Le samedi, au milieu du repas le père demande à son fils de raconter à tout le monde ce qu'il a vu.

– Bien, dit le gamin, M.Albert est arrivé l'autre jour et a commencé à embrasser maman, puis maman a enlevé ses vêtements et elle est entrée dans la chambre avec M.Albert.

– Oui, dit le père, maintenant dit à tout le monde ce qui s'est passé ensuite.

– Alors, dit le gamin, M.Albert et maman sont allés sur le lit et ont commencé le drôle de jeu auquel tu joue avec tante Betty.

Ils venaient de se rencontrer et avaient une conversation post-coïtale.

– Si je tombe enceinte, dit-elle, comment allons-nous appeler le bébé ?

En retirant son préservatif, et en le nouant et tirant la chasse d'eau dessus, il dit :

– Bien, s'il sort de là, on l'appellera Houdini.

Did you hear about the woman who married a bisexual?

She didn't know which way to turn.

An middle-aged US Navy officer finds himself at a gala event hosted by a local arts college. A young lady in attendance, approaches the Officer for conversation.

– 'Excuse me', she says, 'but you seem to be a very serious man. Is something bothering you?'

No,' the Navy Officer says, 'I'm just serious by nature, ma'am.'

The young lady looks at his awards and decorations and says, 'It looks like you've seen a lot of action.'

'Yeah, lot of action,' replies the soldier.

'Look', cries the girl, angry at his taciturn nature. 'You should lighten up a little. Relax.'

When the Navy Officer replies that he's already relaxed, the girl says:

'Stop being so formal! I mean, when was the last time you had sex?

The officer looks at her. 'Well, that would be 1955[1],' he replies.

The girl cackles. 'That's it. You need to chill out! No sex since 1955! Unbelievable!'

'Oh, I don't know', says the Navy Officer, glancing at his watch. 'It's only 2130 now.

Adam came[2] first. But men always do.

---

1. **1955** : l'année 1955 peut se prononcer **nineteen fifty five** comme l'heure , *dix-neuf heures cinquante-cinq* ; de même **21 30** = *vingt et une heure trente*.

Avez-vous entendu parler de la femme qui avait épousé un bisexuel ?
Elle ne savait pas de quel côté se tourner.

Un officier d'un certain âge de la marine US se retrouve dans une soirée de gala organisée par la faculté des lettres locale. Une des jeunes femmes dans l'assistance aborde l'officier pour lier conversation.

– Pardonnez-moi, dit-elle, – mais vous paraissez être un homme soucieux. Est-ce que quelque chose vous tracasse ?

– Non, dit l'officier de marine, je suis juste soucieux de nature, mam'selle.

La jeune femme regarde ses médailles et décorations et dit : – on dirait que vous avez vécu plein d'action.

– Ouais, plein d'action, réplique le soldat.

– Ecoutez, s'écrie la fille, irritée par sa nature taciturne, – vous devriez vous détendre un peu. Relaxez-vous.

Quand l'officier de marine répond qu'il est déjà détendu, la fille dit : – arrêtez d'être si solennel ! Je veux dire, quand avez vous fait l'amour pour la dernière fois ?

Il la regarde et dit : – 19 55 environ.

La fille glousse : – c'est ça. Vous avez besoin de décompresser. Pas de sexe depuis 1955 ! Incroyable !

– Oh, je ne sais pas, dit l'officier de marine, en regardant sa montre, – il n'est que 21(h)30 maintenant.

Adam est venu le premier. Comme tous les hommes.

---

2. **to come:** comme en français = *venir*, mais peut aussi signifier *jouir*.

06

FRIENDS / FOES / RELATIONSHIP / NEIGHBO(U)RS[1]

Amis / Ennemis / Relations / Voisins

It's surprising how many friends a man has until he needs one.

C'est surprenant le nombre d'amis qu'un homme peut avoir jusqu'à ce qu'il en ait besoin

---

1. **neighbour** (GB) / **neighbor** (US).

The perfect enemy is a man who stabs you in the back, then gets you arrested for illegal carrying of weapon.

Mary: Don't talk to me about Sarah. She's vain, she's foul-tempered, she's selfish and she's very, very boring. And what's more, she's a mean and spiteful little shrew.
Betty: How can you say those things about her?
Mary: Why not? I'm her best friend!

The charges[1] were being read against the man in the dock.

"You are charged that on the 25th February you murdered your wife with an axe."

From the back of the Court someone yelled, 'You bastard!"

The judge brought down his gavel[2] and sternly demanded that there be silence in the Court.

The Clerk of Courts continued. "You are further charged that on the same day you murdered your mother-in-law with an axe."

"You rotten bastard!" came a shout from the back.

Again the Judge brought down his gavel and ordered that thetroublemaker be brought before ...

"What's the meaning of this outburst of temper?" he demanded.

"I'm his next door neighbour, Your Honour. Only a month ago,

I asked to borrow his axe and the swine said that he didn't have one."

---

1. **charges:** 1. (ici) *accusation* 2. *frais* 3. **in charge of:** *res - ponsable de.*

Le parfait ennemi est l'homme qui vous poignarde dans le dos, puis vous fait arrêter **pour** port d'armes prohibé.

Mary : – Ne me parlez pas de Mary. Elle est vaine / vaniteuse, elle a un sale caractère, elle est égoïste et elle est très très ennuyeuse. Et qui plus est, c'est une mégère mesquine et malveillante.

Betty : – Comment pouvez-vous dire de telles choses sur elle ?

Mary : – Pourquoi pas ? Je suis sa meilleure amie.

Les chefs d'accusation étaient lus contre l'homme au banc des accusés.

– Vous êtes accusé d'avoir assassiné votre femme le 25 février avec une hache.

Du fond du tribunal quelqu'un hurle : – Salaud !

Le juge abat son marteau et d'un air sévère exige le silence dans le tribunal.

Puis le greffier poursuit : – Vous êtes de plus accusé d'avoir le même jour assassiné votre belle-mère avec une hache.

– Salaud pourri ! retentit un cri du fond.

A nouveau le juge abat son marteau et ordonne que le perturbateur lui soit présenté.

– Que signifie cet accès de colère ? s'enquiert-t-il ?

– Je suis son voisin de palier, Votre Honneur. Il y a seulement un mois, je lui ai demandé d'emprunter sa hache et ce porc m'a dit qu'il n'en avait pas.

---

2. marteau de magistrat.

I'm very religious – which means, of course, that I love my neighbour.

Mind you, I really hate her husband!

Acquaintance: a person whom we know well enough to borrow from, but not well enough to lend to. (*Ambrose Bierce*)

My wife never knows what she wants until the people next door get it.

There should be music in every home except the one next door.

– Good morning, I'm the piano tuner.
– But I didn't send for you.
– No, but the neighbours did.

– I proved to the enemy that this was no place for cowards.
– How?
– I ran like mad.

A friend is someone who dislikes the same people you do.

A friend in need is a friend to be avoided. (*Lord Samuel*)

It's far easier to forgive an enemy after you've got even with him. (*Olin Miller*)

Love your enemy it'll drive him nuts.

Je suis très croyante / religieuse – ce qui signifie bien sur, que j'aime ma voisine. Cela étant dit, je déteste son mari.

*Connaiss*ance : une personne que nous connaissons assez pour lui emprunter, mais pas assez pour lui prêter.

Ma femme ne sais jamais ce qu'elle veut jusqu'à ce que les gens d'à côté l'aient.

Il devrait y avoir de la musique dans chaque foyer, excepté dans celui de la porte d'à côté.

– Bonjour, Je suis l'accordeur de piano.
– Mais je ne vous ai pas convoqué / fait venir.
– Non, mais les voisins, si.

– J'ai prouvé à l'ennemi qu'ici n'était pas un endroit pour les lâches.
– Comment ?
– J'ai couru comme un fou.

Un ami est quelqu'un qui déteste les mêmes gens que vous.

Un ami dans le besoin est un ami à éviter.

C'est beaucoup plus facile de pardonner un ennemi après que vous lui ayez rendu la pareille.

Aimez votre ennemi ça le rendra dingue.

07

LIFE / DEATH / OLD AGE / ILLNESS

Vie / Mort / Vieillesse / Maladie

If you don't go to people's funerals[1], they won't come to yours.

Si vous n'allez pas à l'enterrement des gens, ils n'iront pas au vôtre.

---

1. 1.(ici) *enterrement*, *funérailles* ; *obsèques* ; 2. *cortège*, *procession*,

Every seat in the football stadium was sold except one. It was the Cup final.

A journalist noticed the empty seat and asked the man sitting beside it:

"Why is this seat empty?"

"That's my wife's seat," replied the man.

"Then why isn't she here?"

"She died last week," replied the man.

"I'm sorry to hear that", said the reporter, "but you could have found a friend to come with you today."

"No," replied the man, "they're all at the funerals."

A man died and his wife put a death notice in the paper, saying that he died of gonorrhoea. His brother phoned and complained angrily saying, "You know very well that he died of diarrhoea, not gonorrhoea[1]."

"I know he died of diarrhoea," she replied, "but I want people to remember him as a great lover rather than the big shit he really was."

Undertakers[2] have put up the cost of funerals by more than 15 per cent this year. They say it's to do with the rise of the cost of living!

You have reached middle age is when, if you have a choice between two temptations, you choose the one that'll get you home earlier.

When I went to my class reunion, all the guys were so fat and bald they hardly recognized me.

---

1. *blennorragie.*
2. **to undertake:** *entreprendre* (m.à.m. : mettre sous (terre).

Tous les places dans le stade de football étaient vendues sauf une. C'était la finale de la Coupe.

Un journaliste remarqua le siège vide et demanda à l'homme assis à côté :

– Pourquoi cette place est-elle libre ?

– C'est le siège de ma femme, répondit l'homme.

– Alors pourquoi n'est-elle pas là ?

– Elle est morte la semaine dernière, répliqua l'homme.

– Je suis désolé d'apprendre ça, dit le journaliste, mais vous auriez pu trouver un ami pour venir avec vous aujourd'hui.

– Non, répondit l'homme, ils sont tous à l'enterrement.

Un homme mourut et sa femme mit une annonce nécrologique dans le journal, disant qu'il était mort d'une gonorrhée. Son frère lui téléphona et se plaignit avec colère disant :

– Tu sais très bien qu'il est mort à cause d'une diarrhée, pas d'une gonorrhée.

– Je sais qu'il est mort d'une diarrhée, répliqua-t-elle, mais je veux que les gens se souviennent de lui comme d'un super amant plutôt que le gros tas de merde qu'il était en réalité.

Les croque-morts ont augmenté les coûts des funérailles de 15 pour cent cette année. Ils disent que c'est à cause de la hausse du coût de la vie.

On a atteint un certain âge quand, si vous avez le choix entre deux tentations, vous choisissez celle qui vous ramènera plus tôt à la maison.

Quand je suis allé à la réunion de ma classe, tous les gars étaient si gras et chauves qu'ils m'ont à peine reconnu.

– They say you shouldn't say anything about the dead unless it's good.
– He's dead? Good!

Private Smith's mother had died and the Sergeant Major had to break the news to him.

"Break it gently to him," advised his Lieutenant[1].

It was parade time, and the Sergeant Major was giving his troops a quick inspection.

"Brown! Straighten your hat! Jones! Your shoes are filthy.

Johnson! Button up your jacket. Smith! Your mother's dead."

Smith's knees buckled, and he was carried off to Sick Bay.

A few weeks later, Private Smith's father died in a car accident, and the Sergeant Major had to pass the sad news.

"Break it to him gently," said the Lieutenant. "You saw what happened last time."

Out on the ground, the Sergeant Major called his men to attention.

"All those who have a father take one step forward!" he roared,

"And where do you think you're going Private Smith?"

If you don't think that anybody cares whether you're living or dead, try missing a few car payments.

She recently had bad luck – she ran into someone she knew when they were the same age.

1.**Lieutenant:** on prononce (GB) [leftenent], (US) [lou:tenent].

– On dit qu'il ne faut rien dire concernant les défunts à moins que ce ne soit bien.

– Il est mort ? Bien.

La mère du simple soldat Smith est morte et le sergent-chef doit lui annoncer la nouvelle.

– Annoncez-lui ça doucement, conseille son lieutenant.

C'est l'heure du défilé, et le sergent-chef procède à une rapide inspection de ses troupes.

– Brown ! Ajustez vote chapeau ! Jones ! Vos chaussures sont sales. Johnson ! Boutonnez votre veste. Smith ! Votre mère est morte.

Les genoux de Smith se dérobent sous lui et il est transporté à l'infirmerie.

Quelques semaines plus tard, le père du soldat Smith meurt dans un accident et le sergent-chef doit à nouveau lui annoncer la triste nouvelle.

– Annoncez-lui ça doucement, dit le lieutenant. Vous avez vu ce qui s'est passé la dernière fois.

Dehors sur le terrain, le sergent-chef met ses hommes au garde-à-vous.

– Tous ceux qui ont un père font un pas en avant ! rugit-il.

– Et où croyez-vous aller soldat Smith ?

Si vous croyez que personne ne se soucie de savoir si vous êtes vivant ou mort essayez d'oublier quelques mensualités sur votre voiture.

Récemment elle n'a pas eu de chance – elle est tombée sur quelqu'un qu'elle connaissait.

EDUCATION / BRAIN / INTELLIGENCE

Education / Cerveau / Intelligence

For every person wishing to teach, there are thirty not wanting to be taught[1].

Pour chaque personne qui souhaite enseigner, il y en a trente qui ne veulent rien apprendre.

---

1. **to be taught** (de **to teach, taught, taught**, *enseigner*) = *se faire enseigner*.

Education is teaching a child how to talk and then teaching it how to keep quiet[1]

Why is a University Professor like a lighthouse in a desert?
They are both brilliant but totally useless[2].

– When your son finishes his education, what will he be[3]?
– About forty[4]!

I've listened to your humble opinion and it has every right to be[5].

– You know, Ollie, I was just thinking.
– About what?
– Nothing. I was just thinking.
                              (*Oliver Hardy and Stan Laurel*
                                        Jitterbugs 1943)

I don't know a lot about anything, but I know a little about practically everything.
                              (*Vincent Price[6]*, 1944)

Philosophy: unintelligible answers to insoluble problems.   (*Henry Brooks Adams[7]*)

What's on your mind – if you'll pardon the exaggeration?

---

1. **To keep quiet:** *faire silence, ou se tenir tranquille.*
2. m à m. : *ils sont tous les deux brillants mais totalement inutiles.*
3. **What will he be:** *quel âge aura-t-il*
4. **To be forty** = *avoir quarante ans*

L'éducation consiste à apprendre à parler à un enfant, pour lui apprendre ensuite à se taire.

Pourquoi un professeur d'université est-il comparable à un phare au milieu du désert ?
Parce qu'ils brillent tous les deux de façon totalement inutile.

– Quand votre fils aura fini ses études, il sera quoi ?
– Quadragénaire.

J'ai bien écouté votre humble avis, et vous avez bien raison de le qualifier ainsi.

– Tu sais, Ollie, j'étais juste en train de penser.
– A quoi ?
– A rien. Je pensais tout simplement

Je ne sais pas grand chose sur quoi que ce soit. Mais j'en sais un peu sur pratiquement tout.

Philosophie : des réponses incompréhensibles à des problèmes insolubles.

Qu'avez-vous à l'esprit ? Si je puis me permettre cet abus de langage.

---

5. m à mot : *j'ai écouté votre humble opinion, et elle a tous les droits de l'être* (tout la porte à l'être).
6. Acteur américain (1911-1993), célèbre pour sa voix et ses rôles dans de nombreux films d'horreur.
7. Historien, journaliste et romancier américain (1838-1918).

I was a modest, good-humoured boy. It is Oxford that has made me insufferable.

> Ma Beerbohm, 'Going back to school'

– I've changed my mind[1]
– Yeah, does it work any better?

> (*Edward Arnold and Mae West*)

– Clear? Why, a four-year-old child could understand this report.
– Run out and get me a four-year-old child. I can't make head nor tail[2] out of it.

> (*Groucho Marx*)

We're intellectual opposites. I'm intellectual and you're opposite.

> (*Mae West*)

This is Mr Albert, the brains of the organization. That'll give you some idea of the organization.

> (*The Manchurian Candidate*[3] 1962)

Being intelligent is very easy. You just have to think of something stupid and say the opposite.

---

1. **to change one's mind:** *changer d'avis.*
The mind: *l'esprit*
2. cf. **I can't make head or tail of what he says.** *Je ne comprends rien à ce qu'il dit.*
Heads or tails? *pile ou face ?*
(**head** = *tête, face* ; **tail** = *queue, pile*).

J'étais un garçon modeste, de caractère facile. C'est Oxford qui m'a rendu odieux.

– J'ai changé mon jugement.
– Est-ce que le nouveau est meilleur que l'ancien ?

– Clair ? Mais un enfant de quatre ans comprendrait ce rapport.
– Courez me chercher un enfant de quatre ans. Moi je ne comprends goutte à ce document.

Nous sommes intellectuellement à l'opposé l'un de l'autre. Je suis intellectuel et vous êtes à l'opposé.

Voici Mr. Albert, le responsable de l'organisation. Ça vous donne une idée du genre d'organisation.

C'est très simple de se montrer intelligent. Il suffit de penser à une chose stupide et de dire le contraire.

---

3. Film de **John Frankenheimer** tiré d'un roman de **Richard** Condom (1959).

09

JOBS[1] AND TRADES[2]

Emplois / Métiers

Work is the refuge of people who have nothing to do.
(Oscar Wilde)

Le travail est le refuge de ceux qui n'ont rien à faire.

---

1. **job:** *métier, emploi.*
2. **trade:** 1. *métier* 2. *commerce, affaires* 3. *trafic* 4. *clientèle.*

A statistician is someone who can[1] put his head in the oven and his feet in the freezer and tell you, 'On average, I feel just fine.'

The Boss is the man at the office who's late when you're early and early when you're late.

"Do-it-yourself" is what you do just before you call in a professional to clean up the mess.

LETTER TO AGONY[2] COLUMN:
I have two brothers:
One works in a bank and the other is a convicted serial killer.
My father died in the electric chair and my mother is a drug-dealer.
I've just met a wonderful girl and I've asked her to marry me.
My problem is, should I tell her that I have a brother who is a banker?

There's nothing wrong with work as long as it doesn't take up too much of your spare time.

– I lost my job because of the weather.
– How come?
– I was a TV forecaster.

---

1. m à mot : *quelqu'un qui peut, qui est capable de...*
cf. *Parler-vous anglais ?* **can you speak English?**

Un statisticien est quelqu'un qui met la tête dans le four et les pieds dans le frigidaire et nous dit : « en moyenne, je me sens très bien ».

Le patron, c'est quelqu'un qui est en retard au bureau, quand vous êtes en avance, et qui est en avance quand vous êtes en retard.

Le bricolage, c'est ce que vous faites juste avant d'appeler un professionnel pour réparer les dégâts.

Au courrier du cœur :
J'ai deux frères :
L'un travaille dans une banque et l'autre a été condamné pour meurtres en série.
Mon père est mort sur la chaise électrique et ma mère est une trafiquante de drogue.
Je viens juste de rencontrer une fille merveilleuse et je lui ai demandé de m'épouser.
Mon problème est de savoir si je dois lui avouer que j'ai un frère dans la banque ?

Il n'y a rien de mal à travailler tant que ça ne représente pas une trop grande part de notre temps libre.

– J'ai perdu mon emploi à cause du temps.
– Comment ça ?
– J'étais météorologiste à la télé.

---

2. **agony:** faux-ami (sauf dans **death agony**) qui signifie *angoisse*, *supplice*, *douleur*, *souffrance*.

A dog walks into a Job Centre and asks the man in charge if they have any vacancies[1]. The man is stunned. 'You're a talking dog!' he cries.

I'm sure we can find work for you .No problem.'

At this the dog becomes agitated. 'Look,' he says. 'Don't mess me about. Have you got any jobs or not?'

'Okay,' says the man. 'Just sit tight. I'll make a call and I'll have you working in no time.'

With that the man phones a circus. 'I've got a talking dog here. 'Can I send him down to you?'

The answer is enthusiastic. 'All my life I've been looking for a talking dog'.

'You get him down here tomorrow morning and he can name his wage.'

The dog's still wary. 'What will I be doing ?' he asks.

The man is puzzled. 'I imagine you'll be the Talking Dog in the circus,' he says.

'Oh, that's no good to me, mate,' the dog says. 'I'm a plumber[3].

Don't get me wrong[2]. I love the job. It's the work I hate!

An executive is someone who can take three hours for lunch without hindering production.

---

1. **vacancies:** faux ami "partiel" ne correspondant au français *vacance* que dans le sens de *poste à pourvoir* (ou *logement vacant*). Devant un hôtel **No vacancy** signifie *Complet*.

Un chien entre dans une agence d'emploi et demande au préposé s'ils ont des offres d'emploi. L'homme est stupéfait. « Vous êtes un chien qui parle ! » s'écrie-t-il.

« Je suis sûr de vous trouver du travail. Pas de problème ».

A ces mots le chien s'énerve. « Ecoutez », dit-il, « Ne tournez pas autour du pot. Vous avez du boulot ou pas ? »

« D'accord » répond l'homme. « Ne bougez pas, je vous trouve un travail en un rien de temps ».

Sur ces mots il téléphone à un cirque. « J'ai un chien qui parle ici. Je peux vous l'envoyer ? »

La réponse est enthousiaste. « Toute ma vie j'ai cherché un chien qui parle.

Envoyez-le moi demain matin et il pourra décider de son salaire ».

Le chien reste prudent : « qu'est-ce que j'aurai à faire » demande-t-il.

L'homme reste perplexe. « Je suppose que vous serez le Chien Parlant du cirque » dit-il.

« Ça ne colle pas, mec », dit le chien, « je suis plombier ».

Ne vous y trompez pas. Le poste me plait bien. C'est le travail que je déteste.

Un cadre est quelqu'un qui peut rester trois heures à déjeuner sans nuire à la production.

Les *vacances* se traduit par **holiday** en anglais britannique et **vacation** en américain.

2. **to get wrong**: *mal interpréter.*

Don't get me wrong: *ne vous trompez pas sur ce que je dis.*

3. On ne prononce pas le **b** dans **plumber** [plœme].

– What time does your secretary start work?
– About two hours after she gets here!

– When will my raise become effective?
– As soon as you are.

Why did I become a baker? Because I kneaded the dough[1]!

– Are you busy?
– I'm about as busy as a pickpocket in a nudist colony.   *W.C. Fields*

The prostitute was visiting her psychoanalyst. One intimate question led to another, and before he knew it, the shrink was on the couch, bonking his patient.
When it was all over, they looked at each other for a moment and then exchanged $ 100 bills.

Two young women met[2] for a cup of coffee after being out of touch for many years. They asked each other what sort of work they were doing.
"I'm a receptionist at a hotel. I'm getting half my board".
"Gee", "I work in a massage parlour and get my hole bored[3]."

---

1. **I kneaded the dough**: *je pétrissais la pâte.*
Se prononce comme **I needed the dough**, *j'avais besoin du pognon.* [ai 'ni:did ðə dəʊ / ze de-ou].
2. **met**: l'anglais emploie plus naturellement le passé (prétérite) quand on se réfère à des faits passés.

– A quelle heure votre secrétaire commence-t-elle son travail ?
– Environ deux heures après son arrivée.

– Quand mon augmentation sera-elle opération-nelle ?
– Quand vous le serez vous-même.

– Pourquoi je suis devenu boulanger ?
– Pour casser la croûte.

– Vous êtes occupé ?
– Autant qu'un pickpocket dans un camp de nudis-tes.

La prostituée était chez son psychanalyste. Une question intime en amenait une autre et avant d'avoir compris le psy était sur le divan s'envoyant en l'air avec sa cliente.

Quand ce fut terminé, ils se regardèrent un instant et échangèrent des billets de cent dollars.

Deux jeunes femmes se rencontrent pour prendre un café après de longues années sans se voir. Chacune demande à l'autre quel genre de travail elle fait.

« Je suis réceptionniste dans un hôtel. Et je bénéfi-cie de la demi-pension ».

« Bravo. Moi je travaille dans un institut de massage et j'ai la totale ».

---

3. **I get my hole bored:** m à m. *je me fais trouer le cul.*
hole bored se prononce comme **whole board,** *pension complète,* qui répond à **half board,** *demi-pension.*
Pension complète se dit aussi **full board.**

To cut costs, a manager is forced to sack an employee.

He narrows his choice to two people: young Jack and young Betty.

Both have identical records and it's a tough decision to make.

He eventually finds a solution:

The first of the two who goes to the coffee machine on Monday morning will get the sack.

Monday arrives and Betty walks in with a monstrous hangover. She rushes to the coffee machine.

The manager was lying in wait.

'Betty, I'm so sorry,' he says, I've never had to do this before, but due to circumstances beyond my control, I've got to lay you or Jack off[1].'

'I see,' says Betty, Could you jack off then? I've an awful headache this morning...

A used-car salesman was sitting in the corner of a bar drowning his problems in alcohol.

"What's up?" asked the local harlot.

"Things aren't going too well. If I don't sell more cars, I'll lose my arse[2]."

"I know how you feel," said the harlot. "If I don't sell more arse this month, I'll lose my car."

---

1. Cette chute est impossible à traduire. Il s'agit d'un jeu de mot sur **to lay** *(baiser)* et **to lay off** *(licencier)*.
I've got to lay you or Jack off, dans l'esprit du patron, signifie : *Il faut que je licencie toi ou Jack* (**I've got to lay off either you or Jack**).

Pour réduire les coûts, un patron est contraint à licencier un(e) employé(e).

Son choix se limite à deux personnes : le jeune John et la jeune Betty.

Tous deux ont des états de service équivalents et la décision est difficile à prendre.

Il trouve finalement une solution : *le premier des deux qui se rend à la machine à café lundi matin sera viré.*

Le lundi Betty arrive avec une terrible gueule de bois. Elle se précipite vers la machine à café. Le patron était à l'affût.

« Betty, je suis désolé » dit-il, « c'est la première fois que ça m'arrive, mais en raison d'une situation que je ne maîtrise pas, c'est toi ou Jack qui y passe. »

« Je vois » dit Betty, « Vous ne pourriez-pas vous masturber ? J'ai un terrible mal de tête ce matin ».

Un vendeur de voitures d'occasion était assis au coin d'un bar, en train de noyer ses problèmes dans l'alcool.

« Qu'est-ce qui t'arrive » lui demande la prostituée locale.

« Les choses ne vont pas trop bien. Si je ne vends pas davantage de voitures, c'est fini pour mon cul. »

« Je sais ce que c'est » dit la prostituée. « Si je ne vends pas davantage de cul ce mois-ci, c'est fini pour ma voiture. »

Mais Betty l'interprète comme *il faut que je te baise ou que je me masturbe :* **To jack off,** se masturber, éjaculer.
2. I'll lose my arse: m à m. *je perdrais mon cul,* c'est-à-dire *j'aurai tout perdu.*

10

DOCTORS

Médecins

A specialist is a doctor with a smaller practice and a bigger house.

Un spécialiste est un médecin qui a une clientèle plus réduite et une maison plus vaste.

A psychiatrist is called a shrink[1] because that's what he does to your wallet.

My doctor finally found out what I had –and took it.

My doctor told me I had low blood pressure, so he gave me his bill and raised it.

Doctor: Your pulse is as steady as a clock.
Patient: Maybe that's because you're feeling my wrist watch[2]!

Some doctors prefer to tell you the bad news face to face. Others prefer to send you the bill by post.

Definition of a minor operation: one performed on somebody else.

– Doctor, I get this stabbing pain in my eye every time I have a cup of tea.
– Try taking the spoon out.

– Why do surgeons wear those masks during the operations?
– So if anything goes wrong, they can't be identified.

They don't allow you to leave the hospital until you're strong enough to face the accounts department.

The doctor said he'd have me on my feet in no time and he was right.
I had to sell my car to pay his bill!

– Doctor, doctor, was my operation a success?
– Sorry sir, my name's St. Peter.

---

1. Shrink ou head shrinker, m à m. *rétrécisseur de tête,* surnom donné aux psychiatres.
To shrink, shrank, shrunk, *rétrécir, réduire.*

Un psychiatre est appelé un réducteur (de tête) car c'est ce qu'il fait de notre portefeuille.

Mon docteur a finalement trouvé ce que j'avais ... et il l'a pris.

Mon docteur m'a dit que ma tension était basse – et il m'a donné sa note pour la faire remonter.

Docteur : – Votre pouls a une régularité d'horloge.
Patient : – C'est peut-être parce que vous le prenez sur ma montre.

Certains docteurs préfèrent vous annoncer la mauvaise nouvelle en face. D'autres aiment mieux vous envoyer la note par la poste.
Définition d'une opération bénigne : c'est celle effectuée sur quelqu'un d'autre.

– Docteur, je ressens cette douleur perçante dans l'œil chaque fois que je prends une tasse de thé.
– Essayez de retirer la cuillère.

– Pourquoi les chirurgiens portent-ils ces masques pendant les opérations ?
– Pour ne pas être reconnus si ça se passe mal.

Vous n'êtes pas autorisé à quitter l'hôpital tant que vous n'êtes pas assez solide pour faire face au service comptabilité.

Le docteur m'a dit qu'il me remettrait sur pied en un rien de temps. Il avait raison : j'ai dû vendre ma voiture pour payer la note.

– Docteur, docteur, est-ce que mon opération a été réussie ?
– Désolé monsieur, mon nom est Saint-Pierre.

---

2. wrist: *poignet*
wrist-watch: *montre bracelet.*

– Doctor, I've broken my arm in two places.
– Don't go back to either of them!

Before they admitted me to this private hospital, the doctor interviewed me to find out what illness I could afford[1] to have.

The patient, drowsily[2] coming to[3] after his operation, recognized the figure of the surgeon at the end of his bed.
– 'So how was it?' said the patient.
– 'Well,' replied the doctor, I've got some bad news and some good news.
The bad news is that I'm afraid we amputated the wrong leg.'
– 'Amputated the wrong leg! What sort of good news can there be after you tell me that?'
– 'Well,' said the surgeon, 'the good news is that your bad leg is getting much better.'

– Is your doctor expensive?
– I swallowed a 10p coin and he made me cough up[4] 5 pounds.

The phone rang in the ward[5] and the matron picked it up. The caller said,
– 'I wonder[6]if you can tell me how your patient Mr Williams is.'
And the matron said, – 'He's getting better all the time. In fact he'll be ready to leave hospital in a couple of days. Who is this calling?'
And the voice said, – 'this is Mr Williams. The doctor won't tell me anything!'

---

1. **to afford**: *avoir les moyens de payer ; se permettre de :*
cf. I can't afford it: *je ne peux pas me le permettre / c'est trop cher pour moi / c'est au dessus de mes moyens.*
2. **drowsy**: 1) *somnolent, ensommeillé* 2) *soporifique.*

– Docteur, je me suis cassé le bras en deux endroits.
– Ne retournez dans aucun des deux !

Avant de m'admettre à la clinique, le docteur m'a interrogé(e) pour savoir quelle maladie je pouvais me permettre.

Le patient, émergeant de son sommeil après son opération, reconnaît la silhouette du chirurgien au pied de son lit.
– Alors comment ça s'est passé ?, demande le patient
– Eh bien, répond le docteur, j'ai une bonne nouvelle et une mauvaise nouvelle. La mauvaise nouvelle c'est qu'on s'est trompé de jambe pour l'amputation.
– Trompé de jambe ! Quelle peut être la bonne nouvelle après ça ?
– Eh bien, dit le chirurgien, c'est que votre jambe malade va beaucoup mieux !

– Est-ce que votre docteur est cher ?
– J'ai avalé une pièce de dix pence et il m'a fait cracher cinq livres.

Le téléphone sonne dans le service et l'infirmière chef le décroche. La personne qui appelle dit :
– Est-ce que vous pourriez me dire comment va votre patient M. Williams ?
L'infirmière en chef répond : – Son état s'améliore de jour en jour. En fait il pourra quitter l'hôpital d'ici deux jours. Qui est à l'appareil ?
Et la voix répond : – Ici M. Williams. Le docteur ne veut rien me dire.

---

3. **to come to:** *revenir à soi, reprendre connaissance.*
4. **to cough:** *tousser,* **to cough up,** *cracher de l'argent.*
5. **ward:** *salle (d'hôpital), service, pavillon.*
6. **to wonder:** *se demander.*

– Doctor, my son has just swallowed my pen! What shall I do?
– Use a pencil.

I think my doctor's more interested in my money than in my health.
When I went to him this morning he said, 'I wonder what's wrong with you. Let me feel your purse[1]'.

The doctor sat down[2] beside the bed, looked the patient square in the eye and said, – 'I'm afraid[2] I've bad news for you. You have only four minutes to live.'
– 'Four minutes! Is there really nothing you can do for me?'
– 'Well, I could just about boil you an egg.'

Doctor: – You've burnt both your ears! How did it happen?
Patient: – I was ironing when the telephone rang.
Doctor: – but how did you burn both of them?
Patient: – Well, just as soon as I put the phone down, it rang again.

A woman calls the doctor and says, – "My dog just swallowed fifty aspirins. What should I do?"
The doctor says, – "Give him a headache."

The X-ray specialist married one of his patients. Everybody wondered what he saw in her!

---

1. Jeu de mot sur **pulse**, *le pouls* (**to feel someone's pulse**, *prendre le pouls de quelqu'un*) et **purse**, *la bourse*.

– Docteur, mon fils vient juste d'avaler mon stylo.
Que dois-je faire ?
– Utilisez un crayon.

Je pense que mon docteur s'intéresse plus à mon
portefeuille qu'à ma santé. Quand je suis allé le voir
ce matin il m'a dit :
– Je me demande ce que vous avez. Permettez-moi
de vous tâter la bourse.

Le docteur s'assied près du lit, regarde le patient
dans les yeux et dit : – Je crains d'avoir à vous annoncer une mauvaise nouvelle. Il ne vous reste que quatre minutes à vivre.
– Quatre minutes ! N'y a-t-il rien que vous puissiez
faire pour moi ?
– Ah, j'aurais juste le temps de vous faire cuire un
œuf ».

Docteur : – Vous êtes brûlé des deux oreilles. Que
s'est-il passé ?
Patient : – J'étais en train de repasser quand le téléphone a sonné.
Docteur : – Mais comment vous êtes vous brulé les
deux ?
Patient : – Eh bien, juste comme je reposais l'écou-
teur, ça a sonné a nouveau.

Une femme appelle le docteur et dit :
– Mon chien vient d'avaler cinquante aspirines. Que
dois-je faire ?
Le docteur répond : – Donnez-lui la migraine.

Le spécialiste des rayons X a épousé une de ses patien-
tes. Tout le monde se demande ce qu'il a vu en elle.

---

2. L'anglais emploie le passé, auquel le français préfère
souvent le présent de narration.
3. **I'm afraid:** *je crains que, j'ai peur de / que.*

11

MONEY / STATUS

Argent / Situation sociale

Money isn't everything. Sometimes it's not even enough.

L'argent n'est pas tout. Parfois ce n'est même pas assez.

He was obviously trying to impress her as they walked into the jewellery shop on Friday night.

"Choose any diamond ring you'd like, darling," he said, "and don't worry about the price."

She chose a five-carat setting worth $50,000.

"Can I pay by cheque?" he asked the manager.

"Certainly, sir, but of course you understand that we will have to keep the ring until the cheque is cleared.[1]"

A few days later, he returned to the jewellers. The manager said:

"I'm afraid your cheque has bounced[2]."

"Yes, I know, I just dropped by to thank you and say that I had a really great weekend.

A bank is an institution where you can borrow money if you can provide sufficient evidence to show you don't need it.

Joe had just read the news that the richest man in the country had died. He sat at the bar and cried into his beer. His friend Paul tried to comfort him.

'But Joe, you weren't even related to him.'

'I know. That's why I'm crying!'

Stop complaining about money! The less you have, the more there is to get!

---

1. **to clear:** *autoriser*; *virer, compenser* (cheque).
2. **to bounce:** *être sans provision*, **to bounce a cheque (US, check)**, *refuser un chèque.*

Il essayait visiblement de l'impressionner alors qu'ils entraient chez le joaillier un vendredi soir.

– Choisis la bague de diamants que tu préfères, dit-il, et ne te préoccupes pas du prix.

Elle choisit une monture à cinq carats valant 50.000 dollars.

– Puis-je payer par chèque ?, demanda-t-il au responsable du magasin.

– Bien sûr Monsieur. Mais vous comprendrez qu'il nous faudra garder la bague jusqu'à l'acceptation du chèque.

Quelques jours plus tard, il revient chez le joaillier. Le gérant lui dit :

– Je dois vous dire que votre chèque a été refusé.

– Oui, je sais. Je passais juste pour vous dire que j'avais eu un week-end fantastique.

Une banque est une institution où vous pouvez emprunter de l'argent si vous pouvez prouver que vous n'en avez pas besoin.

Joe viens de lire que l'homme le plus riche du pays était mort. Il est au bar et pleure dans sa bière. Son ami Paul essaie de le réconforter.

– Mais Joe, tu n'étais même pas parent avec lui.

– Je sais. C'est pour ça que je pleure.

Attêtez de vous plaindre question argent ! Moins vous en avez, plus il vous en reste à gagner !

– There's a man outside who says you owe him money.
– What does he look like?
– He looks like you better pay him!

When they got married, she didn't have a rag[1] on her back.
Now, that's all she's got.

– Money isn't everything.
– Who told you that?
– My boss.

With all the loans and credit cards and mortgages available these days, anyone who isn't hopelessly in debt[2] just isn't trying.

Credit cards are a great way of spending money you wish you had.

He's real cheap. A few days ago he bought some second hand shirts.
He changed his name to fit the monogram.

– People say you married me for my money.
– I had to give them some reason!

---

1. **rag:** *chiffon, loque.*
2. on ne prononce pas le **b** dans **debt.**

– Il y a un homme à la porte qui dit que vous lui devez de l'argent.
– Quel air a-t-il ?
– Il a l'air qu'il vaudrait mieux payer !

Quand ils se sont mariés, elle n'avait pas le moindre haillon.
Aujourd'hui, c'est tout ce qu'elle a.

- L'argent n'est pas tout.
- Qui vous a dit ça ?
- Mon patron.

Avec tous les prêts, cartes, crédit et hypothèques qu'on peut obtenir aujourd'hui, quelqu'un qui n'est pas endetté à mort n'a pas vraiment fait d'effort.

Les cartes de crédit sont un moyen formidable de dépenser l'argent qu'on aurait aimé avoir.

Il est vraiment avare. Il y a quelques jours, il a acheté des chemises d'occasion. Et il a changé son nom pour l'adapter au monogramme.

– Les gens disent que vous m'avez épousé(e) pour mon argent.
– Il fallait bien que je leur donne une raison.

12

BUSINESS / FINANCE

Affaires / Finance

An economist is an expert who will know tomorrow why the things he predicted yesterday didn't happen today.

Un économiste est un expert qui saura demain pourquoi ce qu'il a prédit hier ne s'est pas produit aujourd'hui.

To sell something you have to someone who needs it – that is not business.

But to sell something you don't have to someone who doesn't need it – that's business.

Business consists in extracting money from another man's pocket without resorting to violence.

The Chairperson[1] stood to address the shareholders. "This time last year, we were poised[2] on the edge of a precipice. Now, we are ready to take a great leap forward."

The market is weird. Every time one guy sells, another one buys, and they both think they're smart.

– I made a million pounds' profit last year!
– Honestly?
– Well, let's not go into that!

– How do you make money selling your watches so cheaply?
– Easy. We make a fortune repairing them.

---

1. **Chairman** et **chairwoman** sont de plus en plus remplacées par **chairperson**.
De même pour **salesman / woman** (*vendeur / euse*) remplacé par **salesperson**, **spokesman / spokeswoman** (*porte-parole*) remplacé par **spokesperson**, etc.
2. **poised:** 1) en équilibre 2) à l'aise, pondéré.

Vendre quelque chose que vous avez à quelqu'un qui en a besoin, ce n'est pas des affaires / du business.

Mais vendre quelque chose que vous n'avez pas à quelqu'un qui n'en a pas besoin, ça c'est du business.

Les affaires consistent à faire sortir de l'argent de la poche d'un autre sans avoir recours à la violence.

Le / la Présidente se lève pour s'adresser aux actionnaires : – À cette époque l'année dernière, nous étions au bord de l'abîme. Aujourd'hui nous avons fait un grand bond en avant.

Le marché est bizarre. Chaque fois que quelqu'un vend, il s'en trouve un qui achète. Et ils se croient malins tous les deux.

– J'ai fait un million de livres de bénéfice l'année dernière.
– Honnêtement ?
– N'entrons pas dans ces considérations !

– Comment faites-vous pour gagner de l'argent en vendant vos montres si bon marché ?
– Facile. On gagne des fortunes en les réparant.

An advertisement:
WITH OUR PRICES, THERE'S NO NEED TO SHOPLIFT[1].

A Chairperson at a meeting of the Board:
Right, let's vote on the recommendation. All those against, raise their hands and say, 'I resign.'

I don't want any yes-men around me. I want everybody to tell me the truth even if it costs them their jobs.   *Samuel Goldwyn[2]*

– How many people work in your department?
– About half of them.

When God made man, all the parts of the body argued[3] over who would be boss.
The brain explained that since he controlled all the parts of the body, he should be boss.
The legs argued that since they took the man wherever he wanted to go, they should be boss.
The stomach countered with the explanation that since he digested all the food, he should be boss.
The eyes said that without them, man would be helpless, so they should be boss. Then the asshole applied for the job.
The other parts of the body laughed so hard that the asshole became mad and closed up.
After a few days the brain went foggy, the legs got wobbly[4], the stomach got ill, the eyes got crossed and unable to see. They all conceded[5] and made the asshole boss.
This proves that you don't have to be a brain to be boss ... just an asshole.

---

1. **To shoplift:** *voler à l'étalage, dans les rayons.*
2. Producteur américain (1882-1974), fondateur de la célèbre maison de production de films, la **Metro Golwyn Mayer.**
3. **to argue:** *discuter, débattre ; argumenter, prétendre.*

Annonce publicitaire :
NOS PRIX DÉCOURAGENT LE VOL !

Le / La président(e) lors d'un conseil d'administration :
– Bien. Mettons cette recommandation aux voix. Tous ceux qui sont contre lèvent la main et disent :
– je démissionne ! »

Je ne veux pas de béni-oui-oui autour de moi. Je veux que chacun me dise la vérité, même si ça lui coûte son emploi.

– Combien de personnes travaillent dans votre service ?
– Environ la moitié ...

Quand Dieu créa l'homme, toutes les parties du corps discutèrent pour savoir qui serait le patron.
Le cerveau expliqua que puisqu'il contrôlait toutes les parties du corps, ça devait être lui le patron.
Les jambes déclarèrent qu'elles emmèneraient l'homme partout où il voulait aller, ce devrait être elles.
L'estomac contre-attaqua en expliquant que puisqu'il digérait toute la nourriture, ça lui revenait.
Les yeux dirent que sans eux l'homme serait impuissant, c'était donc à eux de diriger.
C'est alors que le trou du cul présenta sa candidature.
Les autres parties du corps s'esclaffèrent tant que le trou du cul, fou de colère, se ferma complètement. Au bout de quelque jours le cerveau s'embruma, les jambes vacillèrent, l'estomac se détériora, les yeux commencèrent à loucher et à perdre la vue. Ils reconnurent tous leur défaite et nommèrent le trou du cul patron.
Ceci démontre que pour être patron, il n'est pas nécessaire d'être un cerveau... juste un trouduc.

4. **wobbly:** *chancelant, en équilibre instable ; tremblant ; flageolant.*
4. **To concede,** *concéder*, est le terme employé (sans complément) par un homme politique qui reconnaît la victoire de son adversaire, et signifie donc dans ce cas reconnaître sa défaite.

You can't help liking the director – if you don't, he fires you.

Economists are people who see something work in practice and wonder if it would work in theory.
(Ronald Reagan[1].)

The time spent on any item of the agenda will be in inverse proportion to the sum involved.
(C. Northcote Parkinson[2], *Parkinson's Law, 1957*)

Meetings are rather like cocktail parties. You don't want to go, but you're cross not to be asked.
(Jilly Cooper,[3] *How to Survive from Nine to Five, 1970*)

If this company appoints any more executives, there'll be nobody left to do the work.

Dobkins, I just don't know *what* we'd do without you. But we're going to try.
(David Frost[4])

Despite all the observations I've made over the years, Martin, I've never been able to fire you with enthusiasm. Until now.

---

1. Après avoir été acteur, puis Gouverneur de la Californie, **Ronald Reagan** (1911-2004), a été le 40ᵉ Président des États-Unis (républicain) de 1981 à 1989.
2. **Cyril Northcote Parkinson (1909-1993),** écrivain, historien et essayiste anglais célèbre par son ouvrage *La loi de Parkinson*.

On ne peut pas s'empêcher d'aimer le directeur ... sinon il vous vire.

Les économistes sont des gens qui voient quelque chose fonctionner en pratique et se demandent si ça fonctionnerait en théorie.

Le temps passé sur un point quelconque de l'ordre du jour est inversement proportionnel à la dépense qu'il implique.

Les réunions, c'est comme les cocktails. On ne veut pas y aller, mais on est vexé de ne pas y être invité(e).

Si cette société nomme encore de nouveaux cadres, il n'y aura plus personne pour faire le travail.

Martin, je ne sais pas ce qu'on ferait sans vous. Mais on va quand même essayer.

Malgré toutes les observations que j'ai pu faire au fil des ans, Martin, je n'ai jamais pu vous virer avec enthousiasme ... Jusqu'à aujourd'hui.

---

3. Historienne et auteur anglaise, née en 1937.
4. Né en 1939, célèbre producteur, présentateur et animateur de la télévision britannique.

Office hours are from twelve to one with an hour off for lunch. *George S. Kaufman*[1]

Four businessmen are playing golf. At the first hole, the first man says :

'I'm so important that my company has bought me this top-of-the-range mobile phone so I can keep in touch all over the world.

At the second hole, the next man says, 'I'm so important to my company that they have sewn[2] my mobile phone to the palm of my hand.'

At the third hole, the third man starts mumbling away to himself.

'Who are you talking to?' ask the other three, to which he replies, 'I'm so important to my company that they've inserted a miniature mobile phone in my lip.'

They get to the next hole, when all of a sudden the fourth man makes a dash for the bushes. The others wait for ten minutes before going to check if he's alright. They find him squatting with his trousers around his ankles ."Oh, sorry... they apologize".

'It's okay,' he replies, 'I'm just expecting a fax"

A partner in a small firm advises his son on business ethics.

"Ethics is the most important thing you should consider.

For instance, suppose a woman buys a dress for $190 and pays for it with two $100 notes. I wrap it for her forgetting her $10 change. This is the big question of ethics. Do I tell my partner or not?

---

1. 1889-1961) Auteur dramatique, humorite et directeur de théâtre américain.
2. **To sew, sewed, sewn** (prononcer [səʊː son double : e-ou] comme **to sow**, *semer*, signifie *coudre*).

Les heures de bureau sont de midi à une heure, avec une heure libre pour le déjeuner.

Quatre hommes d'affaires jouent au Golf. Au premier trou, le premier homme dit :
– Je suis si important que ma société m'a acheté ce portable haut de gamme pour que je puisse rester en contact avec le monde entier.

Au second trou, son voisin dit : – Je suis si important pour ma société qu'ils ont implanté mon portable dans la paume de ma main.

Au troisième trou, le troisième homme se met à marmonner.

– A qui parlez-vous ?, lui demandent les trois autres, à quoi il réplique : – Je suis si important que ma société a fait insérer un portable miniature dans ma lèvre.

Ils arrivent au trou suivant, quand soudain le quatrième homme se précipite dans les buissons. Les autres attendent dix minutes avant d'aller voir s'il n'a pas de problème. Ils le trouvent accroupi, le pantalon autour des chevilles.

– Oh, désolé(s) s'excusent-ils.

– Pas de problème, répond-t-il. C'est juste que j'attends un fax.

L'associé d'une société donne des conseils à son fils sur l'éthique dans l'entreprise :
– L'éthique est ce qu'il y a de plus important. Par exemple, suppose qu'une dame achète un tailleur à 190 dollars et paie avec deux billets de cent dollars. Je l'emballe pour elle en oubliant de lui rendre ses dix dollars de monnaie. C'est ça la grande question de l'éthique : Est-ce que je le dis à mon associé ou pas ?

13

NATIONALITIES / TOURISM

Nationalités / Tourisme

What the difference between a gay and a black man?"
A black man doesn't have to tell his mother he's black."

Quelle est la différence entre un homo et un black ? :
Le black n'a pas besoin de dire à sa mère qu'il est noir.

An Irishman, an Englishman and a gorgeous young lady were sitting in a train carriage when the loco plunged into a tunnel. The carriage, and it went completely dark.

Then there was a kissing noise, followed by the sound of a really loud slap.

When the train came out of the tunnel, the gorgeous young lady and the Irishman were sitting as if nothing had happened. The Englishman, however, had his hand against his reddening cheek.

The Englishman was thinking: *'The Irish fella[1] must have kissed the young lady, but she missed him and slapped me instead.'*

The young lady was thinking: *'The English fella must have tried to kiss me and actually kissed the Irishman, and got slapped for it.'*

And the Irishman was thinking: *'This is great. The next time the train goes through a tunnel, I'll make another kissing noise and slap that English bastard again'*.

How does an Englishman know that his wife is dead?
Sex is still the same but the dishes are piling up in the sink.

What's the difference between an Australian wedding and an Australian funeral?
There is one drunk less at the funeral.

---

1. **Fella:** prononciation populaire de **fellow:** 1) *camarade* 2. *type, mec* etc.

Un Irlandais, un Anglais et une superbe jeune femme sont assis dans un train qui entre dans un tunnel. Le compartiment est plongé dans l'obscurité.

On entend alors un bruit de baiser, suivi d'une claque retentissante.

Quand le train sort du tunnel, la jeune femme et l'Irlandais se tiennent comme si rien ne s'était produit. Cependant l'Anglais se tient la joue devenue toute rouge.

Il pense : *Ce crétin d'Irlandais a dû embrasser la jeune femme, et elle l'a manqué et m'a giflé à sa place.*

La jeune femme pense : *Le type anglais a dû essayer de m'embrasser. Au lieu de quoi il a embrassé l'Irlandais et a ramassé une beigne,*

Et l'Irlandais pense : *Formidable. La prochaine fois que le train traverse un tunnel, je refais un autre bruit de baiser et je remets une claque à ce putain d'Anglais.*

Comment un anglais sait-il que sa femme est morte ?

Sa vie sexuelle ne change pas, mais les assiettes s'empilent dans l'évier.

Quelle différence y-a-il en Australie entre un mariage et un enterrement ?

Il y a un ivrogne de moins à l'enterrement.

Two Irishmen were visiting London.

"This is not such a bad place," said Paddy. "Where else could you walk down the street, meet a complete stranger, have dinner with him and then be invited to spend the night at his house."

"B'golly[1], did this happen to you?" asked Malone.

"Agh, no, but it did happen to my sister."

A Russian woman walked into an empty Moscow shop.

"I see you have no vegetables today."

"No," said the shopkeeper, "this is a butcher shop. It's meat we haven't got. The shop with no vegetables is further down the street."

An Australian gentleman is a man who gets out of the bath to piss in the sink.

– How do we know that Jesus was Jewish?

– Because he lived at home until he was 30, he went into his father's business, his mother thought he was divine and he thought she was a virgin.

---

1. **B'golly = by golly,** pour éviter de blasphémer en prononçant le nom de Dieu dans **My God!** cf. **by gosh!** ou le français *parbleu* etc.

Deux Irlandais visitent Londres.

– C'est pas un si mauvais endroit, déclare Paddy, je ne connais pas d'autre lieu où on peut rencontrer dans la rue un total étranger qui vous invite à diner et ensuite à passer la nuit chez lui.

– Nom d'un chien ! Ça t'est arrivé ?, demande Malone.

– Ahh, non, Mais c'est bien arrivé à ma sœur.

Une cliente russe entre dans une boutique / un magasin vide à Moscou.

– Je vois que vous n'avez pas de légumes aujourd'hui.

– Non répond le commerçant. Vous êtes dans une boucherie. C'est de la viande que nous n'avons pas. La boutique sans légumes est plus loin dans la rue.

Un Australien bien élevé est quelqu'un qui sort de son bain pour uriner dans l'évier.

– Comment sait-on que Jésus était juif ?

– Parce qu'il est resté à la maison jusqu'à l'âge de trente ans, qu'il à succédé à son père dans l'entreprise, que sa mère le trouvait divin et qu'il pensait qu'elle était vierge.

Bruce was a typical Scot. His wife Mary had just died and he wanted to place the least expensive death notice. He went to the newspaper office and wrote on the lodgement form, "Mary died".

The clerk explained that there was a minimum charge and he could have six words. Bruce added three more words: "Mary died, car for sale".

McDonald was on his death bed and he gasped his last words to his old friend, McDougall.

"There's a bottle of Scotch under my bed. When I'm gone, will you sprinkle it on my grave? Promise me, that you'll do it.

"Och, aye, but would ye mind if I passed it through my kidneys first?"

Patrick was complaining to his mates in the bar. His wife was pregnant again, and he already had nine kids.

"I'll bloody well hang myself if this happens again," he said.

But sure enough, one year later, Patrick announced that his wife was pregnant again.

"You said you'd hang yourself if this happened," one of his mates reminded him.

"That I did," said Patrick. "I got the rope, tied[1] a noose in it and threw[2] it over a branch of a tree, then I thought to meself, begorah[3], maybe I'm hanging the wrong man!"

---

1. **tied:** de **to tie,** *attacher*
2. **threw it over a branch of a tree,** m à m. *je l'ai jeté par dessus la branche d'un arbre* (**to throw, threw, thrown,** *jeter*).

Bruce est l'écossais typique. Son épouse Mary vient de mourir et il veut faire publier l'annonce nécrologique la moins chère. Il va au siège du journal et écrit dans le formulaire : *Mary est morte*.

Le préposé lui explique que le prix serait le même pour six mots. Bruce ajoute alors trois mots : *Mary est morte. Voiture à vendre*.

Mac Donald est sur son lit de mort et confie sa dernière volonté à son vieil ami Mac Dougall.

– Il y a une bouteille de scotch sous mon lit. Quand j'aurai disparu, peux-tu la vider sur ma tombe ? Promets-moi de le faire.

– Oh, d'accord, mais est-ce que ça te dérangerais si je la faisais d'abord passer par mes reins ?

Patrick se plaint auprès de ses copains au bar. Sa femme est à nouveau enceinte, et il a déjà huit enfants.

– Je vais me pendre si ça se reproduit, dit-il.

Mais un an plus tard, Patrick annonce que sa femme est à nouveau enceinte.

– T'avais dit que tu te pendrais si ça se reproduisait, lui rappelle un se ses potes.

– C'est ce que j'ai fait, répond Patrick. J'ai acheté la corde, j'ai fait un nœud coulant et je l'ai attaché à une branche. Et puis je me suis dit. Mon Dieu, je suis peut-être en train de pendre un innocent !

---

3. **begorah** (cf. note 1 page précédente).
Fait partie de ces jurons où l'on évite de prononcer le nom de Dieu (**by God**), ce qui serait considéré comme blasphématoire.

"Yahoo!" cried the Red Indian. He had just come across a pretty young tourist whose car had run out of petrol in the desert.

The handsome young brave offered to give her a lift[1] to the nearest petrol station on the back of his horse. She climbed aboard and they set off. She was intrigued at his continual habit of letting out loud crazy "Whoopee!" It must be an Indian custom, she thought.

When they got to the gas station, she dismounted. "Whee! ... yahoo! ... whoopee!" yelled the Indian as he rode off into the desert.

"He seemed pretty happy," said the service station owner. "What did you do?"

"Nothing," she replied, "I simply rode behind him with my arms around his waist, hanging onto the saddle horn."

"Don't you know that Indians ride bareback[2]?" queried the owner.

Egyptian

Toufik was in the village market one day when he felt a great rumbling in his stomach. He could not control himself and let go a fart that could only be described as a triple thunderclap. Everyone in the market stopped what they were doing and stared at Toufik. He was so ashamed that he left the village and wandered the desert for many years, too embarrassed to return to his home.

Now in his seventies, he felt that he would like to return to the place of his birth. He was sure that no-one would recognise him. Back in his home town again, he headed for the marketplace, and was surprised to see a big supermarket standing in its place. He asked one of the shoppers how long the building had been there.

"Ah!" replied the man. "This building was completed[3] twenty years to the day after Toufik farted in the marketplace."

---

1. **To give a lift:** *prendre en stop, déposer quelqu'un en voiture.*
2. c.à.d. *à nu, sans selle.*

« Yahoo » criait le peau-rouge. Il venait de rencontrer une jeune et belle touriste dont la voiture était tombée en panne d'essence dans le désert.

Il lui propose de la prendre en croupe pour l'emmener à la station d'essence la plus proche. Elle monte à bord et les voilà partis. Elle est surprise de l'entendre crier « whoopee » de façon répétée. Ce doit être une coutume indienne, pense-t-elle.

En arrivant à la station service, elle met pied à terre. « whee ! yahoo ! whoopee » crie l'indien en s'éloignant à cheval dans le désert.

– Il avait l'air très heureux, dit le propriétaire de la station service. Qu'est-ce que vous avez fait ?

– Rien, répond-elle. Je n'ai fait que monter derrière lui avec les bras autour de sa taille pour tenir le pommeau de la selle.

– Vous ne savez-pas que les indiens montent à cru ?, lui demande le propriétaire.

Toufik se trouvait un jour sur la place du marché de son village quand il perçut un terrible grondement dans son estomac. Il ne put se contrôler et lâcha un pet que l'on ne pouvait décrire que comme un triple coup de tonnerre. Tout le monde sur le marché suspendit ses activités pour fixer Toufik. Il eut tellement honte qu'il quitta le village et erra dans le désert pendant de nombreuses années, trop embarrassé pour retourner chez lui.

Il a maintenant plus de soixante dix ans, et il voudrait bien revoir le lieu de sa naissance. Il est sûr que personne ne le reconnaîtra. De retour chez lui, il se rend sur la place du marché, et a la surprise de voir qu'un grand supermarché l'a remplacé. Il demande à un client depuis combien de temps cet immeuble existe.

– Ah ! répond l'homme. Ce bâtiment a été terminé vingt ans jour pour jour après que Toufik ait lâché son pet sur la place du marché.

---

3. **to complete:** attention, faux ami « partiel », signifie ici *achever,* mais dans un autre contexte, *compléter* et *accomplir.*

Tourism:

Hotel manager:

Rooms overlooking the sea are five pounds extra.

Hotel guest:

How much if I promise not to look?

– Room service? Can you send up a towel?

– As soon as we can, sir. Someone's using it at the moment!

What a hotel! They change the sheets twice a day – from one room to the other!

A group of American tourists were visiting Runnymede and the tour guide was explaining its significance.

'This is where the Magna Carta[1] was signed,' he told them.

'When was that?' came a voice from the crowd.

The guide replied, '1215[2].'

'Goddammit,' said the voice. 'We missed it by twenty minutes.'

A tourist is someone who travels to find things that are different and then complains when they are.

---

1. La **Magne carta**, ou *Grande Charte*, est un document historique et fondateur du droit anglais. Cette charte, octroyée le 15 juin 1215 par le Roi Jean d'Angleterre à ses barons, leur donnait des garanties juridiques et leur reconnaissait des droits.

Tourisme

Le directeur de l'hôtel :

– Les chambres avec (une) vue sur la mer font cinq livres de plus.

Le client :

– C'est combien si je promets de ne pas regarder ?

– Service des chambres ? Pouvez-vous me faire monter une serviette ?

– Dès que possible, Monsieur. Il y a quelqu'un qui l'utilise en ce moment.

Quel hôtel ! Deux fois par jour ils changent les draps ... d'une chambre à l'autre !

Un groupe de touristes américains visite Runnymede et le guide explique l'importance du lieu.

– C'est ici que la Magna Carta a été signée leur dit-il.

– C'était quand, demande une voix dans le groupe.

Le guide répond : – 1215.

– Zut alors, dit la voix, On l'a manqué(e) de vingt minutes.

Un touriste est quelqu'un qui voyage pour trouver des choses différentes et qui s'en plaint quand cest le cas.

---

2. L'année 1215 peut se prononcer **twelve fifteen,** c'est-à-dire comme l'heure (*midi et quart*).

14

SPORT

Sport

'Soccer, soccer, soccer- that's all you think about", his wife complained.
"I bet you couldn't even tell me what day we were married!'
'Yes I could,' replied the husband.
'It was the day Arsenal scored 5 goals against Chelsea!'

– Le foot, le foot, le foot. Tu ne penses qu'à ça, se plaignait son épouse.
– Je parie que tu ne pourrais même pas me dire quel jour on s'est marié !
– Si, je pourrais, réplique le mari.
– C'était le jour ou Arsenal a marqué cinq but contre Chelsea !

A man and his vicar were playing golf. The man had a terrible time on the green and kept missing easy putts. The third time he missed one, he exclaimed, 'Fuck, missed!'

'You should curb language, my son,' the vicar commented, 'or God will punish you.'

At the next hole the man missed another easy shot, and again cried, 'Fuck, missed! The vicar again warned the man about the evil of an unclean tongue.

At the next hole the man missed yet another three-footer. 'Fuck!' he wailed. 'Missed!'

The vicar was livid. 'May God have mercy upon your soul, my son, for surely the Lord will strike you down.' As he was speaking, dark clouds built up in the sky, and no sooner had the vicar fallen silent than an enormous bolt of lightning struck... and turned the vicar to ash.

'Fuck!' came a booming voice from the heavens. 'Missed!'

I was playing golf with a friend the other day and, just as we were about to tee off, a funeral procession went by.

My friend put his club down, took off his cap and bowed his head as the cortège passed us.

I said, 'That was a very decent gesture.'

And he said, 'It was the least I could do. She was a damned good wife to me".

Un homme et son curé jouent au golf. L'homme a beaucoup de mal sur le green et passe son temps à rater des coups faciles. A son troisième échec, il s'écrie :

« Merde. Manqué ! »

« Il faut contrôler votre langage », mon fils commente le curé. « Ou Dieu vous punira ».

Au trou suivant l'homme manque encore un coup facile et s'écrie à nouveau, « Merde. Raté ! ».

Le curé le met encore en garde contre le mal que constitue un langage grossier.

Au trou suivant, l'homme rate encore un coup à un mètre. « Merde ! » gémit-il. « Loupé ! »

Le curé est blême. « Que Dieu ait pitié de votre âme, mon fils, car le seigneur va sûrement vous frapper ».

Comme il parle, le ciel s'emplit de nuages noirs et à peine s'est-il tû qu'un énorme éclair s'abat ... et transforme le curé en cendres.

« Merde ! » rugît une voix puissante dans les cieux. « Manqué ! »

Je jouais au golf avec un ami l'autre jour et juste comme on allait commencer la partie, un convoi mortuaire passa par là.

Mon ami posa son club, retira sa casquette et se tint tête baissée pendant le passage du cortège.

– Voilà un geste qui vous honore, lui dis-je.

Il répondit :

– Je ne pouvais pas faire moins. Elle a été pour moi une sacrée bonne épouse.

The reason I like baseball better than golf is that when you hit the ball in baseball, someone else chases after it.

A friend of mine always books two seats when he goes to watch Chelsea. That's one to sit in and one to throw when the fighting starts.

- I did the 100 meters in eight seconds.
- But the world record holder can only do it in *nine* seconds.
- Yes, but I know a short cut.

For a minute we were in with a great chance. ... Then the game started.

"Where's Bob?" a neighbour asked Bob's mother.
"I'm not sure," she replied calmly. "If the ice is as thick as he thinks it is, he's skating. If it's as I think it is, he's swimming."

Boxing is the only sport in the world where two guys get paid for doing something they'd be arrested for if they got drunk and did it for nothing.
(*Paul Stewart*[1], Champion 1949)

The only arithmetic he ever got was hearing the referee count up to ten.
(*Rod Steiger*[2] about *Marlon Brando*
On the Waterfront 1954)

---

1. Ecrivain anglais né en 1955.

La raison pour laquelle je préfère le baseball au golf, c'est que quand on frappe la balle, au baseball, c'est quelqu'un d'autre qui va la chercher…

Un ami à moi réserve toujours deux sièges quand il va voir jouer Chelsea. Un pour s'asseoir et l'autre pour le jeter quand la bagarre commence.

– J'ai fait le cent mètres en huit secondes.
– Mais le recordman du monde ne le fait qu'en neuf secondes !
– Je sais, mais je connais un raccourci.

Pendant une minute, nous avons eu une occasion formidable … Et puis le match a commencé.

– Où est Bob ?, demande un voisin à la mère de celui-ci.
– Je ne suis pas sûre, répond-elle calmement. Si la glace est aussi épaisse qu'il le croit, il est entrain de patiner. Si elle a l'épaisseur que je crois, il est en train de nager.

La boxe est le seul sport au monde où deux types sont payés pour faire ce pourquoi ils se feraient appréhender s'ils le faisaient gratis en état d'ébriété.

Ses connaissances en arithmétique se limitaient au compte jusqu'à dix de l'arbitre.

---

2. **Rod Steiger** (1925-2002), **Marlon Brando** (1924-2004), célèbres vedettes du cinéma américain de la deuxième moitié du XXᵉ siècle.

– How do you mean, you had to explain the cricket match to your wife?
– She found out I hadn't gone to it.

Proficiency at billiards is proof of a misspent youth.

(Herbert Spencer[1])

– Why do mountaineers rope themselves together?
– To stop the sensible ones from going home.

I went to a parachute-jumping class. The drop-out rate[2] was incredible.

I've decided to give up first-class cricket. But I'm still playing for England.

---

1. **Herbert Spencer** (1820-1903), philosophe et sociologue anglais.
2. **Drop-out rate:** *taux d'abandon, d'échec d'étudiants qui quittent l'université avant la fin de leurs études.*
Drop-out 1) *un tel étudiant* 2) ou **dropping out,** *le fait d'interrompre ses études avant de les avoir menées à bien.*
Il y a ici jeu de mot sur ce sens et celui de **to drop (out):** *parachuter.*

– Qu'est-ce que tu veux dire, qu'il a fallu expliquer le match de cricket à ta femme ?
– Elle a découvert que je n'y étais pas allé.

L'excellence au billard est la preuve d'une jeunesse dissolue.

– Pourquoi les alpinistes s'encordent-ils ?
– Pour empêcher les plus sensés de rentrer chez eux.

J'ai suivi un cours de saut en parachute.
Le taux d'échec était incroyable.

J'ai decidé d'arrêter le cricket de haut niveau. Mais je joue toujours dans l'équipe d'Angleterre.

15

ANIMALS

Animaux

We all sprang from[1] animals[2], but most of us didn't spring far enough

Nous descendons tous des animaux, mais beaucoup trop d'entre nous ne sont pas descendus assez loin.

---

1. **to spring** (**sprang, sprung**) : *bondir, franchir d'un bond, jaillir* ; *pousser, naître* ; **to spring a leak**, *faire eau, prendre l'eau*.

to spring from: *provenir de, avoir sa source dans* (**a spring**, n., *une source*) ; ici : *faire un bond depuis l'origine animale*.

2. Rappelons que les théories de l'évolution sont contestées, voire mises à mal dans de nombreux pays. En particulier, dans certains États des États-Unis, des voix s'élèvent, notamment celles d'adeptes de sectes ou de religions encore minoritaires mais très activistes et qui connaissent de nos jours une audience nouvelle, pour obtenir par la législation la reconnaissance et l'enseignement officiels de doctrines d'inspiration religieuse qui, s'opposant au darwinisme, prétendent que les plantes et les espèces animales ont été créées isolément d'un seul coup et sont immuables.

A man goes off on a business trip, leaving his cat in the care of a neighbour. A few days later he phones the neighbour to ask about his pet[2] and the neighbour says, 'The cat has died.'

The poor man is distraught[1] and says to his friend, 'Couldn't you have broken it[3] to me more gently? The first time I called you could've told me that the cat was on the roof, the next time that the cat'd fallen off the roof and wasn't looking too well, and so on.'

When he returned he got a new cat and, a few weeks later, set off on another trip, leaving the new pet* with the same neighbour. After a few days he called. 'How's the cat?'

'The cat's just fine, but I think you should know, your mother's on the roof.'

Customer: – Does this dog have a pedigree?
Pet-shop owner: – A pedigree? Listen, if this dog could talk, he wouldn't be speaking to either of us.

A loony[4] is praying in a room, and another loony asks, "What are you doing?"
"Keeping the rhinos[5] away."
"There are no rhinos here."
"See."

---

1. **distraught** [dis'**tro**:t]: *affolé, bouleversé*.
2. **pet**: 1. (n.) *animal domestique familier* : **petshop**, *magasin où on vend des animaux domestiques, animalerie* ; *chou - chou, favori* 2. (adj.) *favori, préféré* : **a pet idea**, *une idée favorite, une marotte*.

Un homme part en voyage d'affaires en laissant son chat aux bons soins d'un voisin. Quelques jours passent, il appelle le voisin pour lui demander des nouvelles de son animal favori, et le voisin lui répond : « Le chat est mort. »

Le pauvre homme est abattu, et dit à son ami : « Tu n'aurais pas pu m'annoncer ça plus gentiment ? À mon premier appel, tu aurais pu me dire que le chat était sur le toit, au suivant qu'il était tombé du toit et qu'il n'avait pas l'air trop bien et ainsi de suite. »

À son retour, il se procura un nouveau chat et, quelques semaines plus tard, repartit en voyage, confiant son chat au même voisin. Il l'appelle au bout de quelques jours : – Comment va le chat ?

– Le chat va bien, mais, il faut que je te dise, ta mère est sur le toit...

Le client : « Est-ce que ce chien a un pedigree ? »
Le propriétaire de l'animalerie : – Un pedigree ? Croyez-moi, si ce chien parlait, il ne daignerait pas nous adresser la parole.

Un cinglé est en prière dans une salle, un autre cinglé l'interroge : – Qu'est-ce que tu fais ?
– J'éloigne les rhinocéros.
– Il n'y a pas de rhinocéros ici !
– Tu vois bien que ça marche.

---

3. **to break a piece of news:** *divulguer une nouvelle, annoncer.*
4. **loonie:** (fam., n. & adj. *dingue, fou, cinglé* ; **loony bin** (argot) : *asile psychiatrique.*
5. **rhyno:** ['raɪnəu] abr. de **rhinoceros** [raɪ'nɒserəs], *rhinocéros.*

A man goes into a pet shop to buy a parrot. The clerk[1] says, "We have three for sale. The red one speaks three languages and costs fifteen hundred dollars. The yellow one knows five languages and costs three thousand. The blue one over there costs ten thousand, but doesn't speak at all."

"Ten thousand? Why is it so much?"

"Well, we don't know what he does, but the other two call him 'Boss.'"

A parrot that had belonged to a hooker[2] is being auctioned off. The auctioneer says, "What's the first offer on this gorgeous bird?"

A man raises his hand. "I'll give twenty dollars."

A second says, "Thirty."

"One hundred," says a third.

The parrot says, "Make it a hundred and fifty, honey, and I'll do you a special."

A tortoise had been raped by two snails.

"Describe them," demanded the police.

"I can't," said the tortoise, "it happened too fast."

A three-legged dog walks into a saloon and says: I'm looking for the bastard who shot my paw[3].

---

1. **clerk**, *employé*, *vendeur* etc. Deux prononciations : GB [klɑːk] US [klɜːʳk].
2. **hooker**: 1. (très fam. surtout US) *prostituée*, *tapineuse* 2. (rugby) *talonneur*.

Un homme entre dans une animalerie pour acheter un perroquet. Le vendeur lui annonce :
– Nous en avons trois à vendre. Le rouge parle trois langues et coûte quinze cents dollars, le jaune connaît cinq langues et coûte cinq mille dollars. Le bleu, là-bas, coûte dix mille dollars, mais il ne parle pas du tout. »
– Dix mille dollars ? Pourquoi vaut-il aussi cher ? »
– Eh bien, nous ignorons ce qu'il sait faire, mais les deux autres l'appellent « Patron ».

Un perroquet ayant appartenu à une prostituée est vendu aux enchères. Le commissaire-priseur demande : – Qui fait la première offre pour ce magnifique oiseau ?
Un homme lève la main : – J'en donne vingt dollars !
Un autre enchérit : – Trente !
– Cent ! dit un troisième.
Le perroquet intervient : – Chéri, tu dis cent cinquante et je te fais ma spécialité !

Une tortue a été violée par deux escargots.
– Décrivez-les », demandent les policiers.
– Impossible, dit la tortue, « ça s'est passé trop vite.

Un chien à trois pattes entre dans un saloon et dit: je cherche le salopard qui a tué mon père / tiré sur ma patte.

---

3. En américain **paw**, *patte* et **Pa**, *papa*, ont la même prononciation.

A man is driving along in his Jaguar when a duck overtakes him. He puts his foot on the accelerator and overtakes the duck at 40 m.p.h., but the duck overtakes him again doing about 50 m.p.h. [1]. The Jaguar driver puts his foot down again and overtakes it once more doing about 70 m.p.h. The bird overtaking him once again, he decides to follow it and try to find out where it comes from. The duck eventually turns off the motorway and runs down some quiet country roads before turning into a farmyard. The driver jumps out of his car and approaches the nearby farmer asking, "Excuse me, but does this duck belong to you?"

"Surely does Guvnor[2]," said the farmer.

The motorist continues, "Well that sure is the most amazing duck I've ever seen. First it overtook me doing 40 miles an hour, then 50, and then 70. How come it's so fast?" "Ah... that's because it's got three legs. We breed them specially here so that they've all got three legs," said the farmer.

"But what is the reason for that?" enquired the motorist.

"Well you see, I like a leg... my wife likes a leg... and our boy likes a leg," said the farmer.

"And what do they taste like?" asked the motorist.

"Don't know... I haven't managed to catch one yet!" said the farmer.

---

1. **m.p.h.: miles per hour**, *km/h, kilomètres/heure.*

2. **Guvnor:** (GB, fam.) abr. de **govemor**, *gouverneur* ; encore utilisé dans les milieux populaires par quelqu'un qui s'adresse à une personne perçue comme étant de rang hiérarchiquement supérieur ; on trouve aussi **Guv.**

Un homme roule en Jaguar lorsqu'un canard le double. Il accélère et double le canard à 60, mais le canard le double à nouveau à environ 80 kilomètres à l'heure. Vexé, le conducteur de la Jaguar écrase le champignon et double à son tour à 120. Le volatile l'ayant dépassé une fois de plus, il décide alors de le suivre pour savoir d'où il vient. Le canard finit par quitter l'autoroute pour courir le long de tranquilles chemins de campagne, avant de tourner dans une cour de ferme. L'homme bondit hors de sa Jaguar et interroge le fermier qui se trouvait là : « Je vous demande pardon, mais ce canard vous appartient ? »

– Ça, c'est bien sûr, Patron, – lui répond le paysan.

– Eh bien, c'est le canard le plus extraordinaire que j'aie jamais vu. Il me double une première fois à 60, puis à 80, puis à 120. Comme se fait-il qu'il aille si vite ? »

– Ah... ça doit être parce qu'il a trois pattes. Nous autres nous les élevons spécialement pour qu'ils aient trois pattes », dit le fermier.

– Mais pour quelle raison faites-vous ça ? » s'enquiert l'automobiliste.

– Voyez-vous, j'aime bien manger une cuisse de canard, ma femme aussi, notre garçon lui aussi aime bien une cuisse », répond le fermier.

– Et est-ce qu'elles sont bonnes ? »

– Ch'sais pas... J'ai encore jamais réussi à en attraper un seul ! avoue le paysan.

– My dog plays poker with me.

– That's fantastic! He must be very intelligent.

– Not really. Every time he gets a good hand, he wags his tail.

– Do you realize that your dog barked all night long?

– Yes, but don't worry. He sleeps all day!

There's only one way to stop a dog barking in August. Shoot it in July!

Two explorers are walking in the Arctic when all of a sudden a ferocious polar bear comes charging towards them. 'Oh shit[1]!' says the first explorer, panicking. 'What are we going to do?'

The second explorer says nothing, but calmly takes off his backpack, puts on a sweat-band and shorts, changes his snowshoes for a pair of trainers[2]. The first explorer turns to him and gabbles, 'You're mad! There's no way you'll outrun[3] a polar bear!'

'You're right,' replies the second man. 'But I'll sure outrun you.'

Two men walking their dogs[4] pass each other in a graveyard. The first man says to the second, 'Morning[5].'

'No,' says the second man. 'Just walking the dog.'

---

1. **shit:** (slang), 1. (n) merde, chiasse ; (interj.) merde !, putain !, bordel ! 2. (interj.) merde !

Ce mot fait partie des "**four-letters words,** "mots de quatre lettres", qualifies également de "**taboo words**", mots tabous, car très vulgaires. Font également partie de cette liste, **arse,** cul, **ball,** couille, **cunt,** con, **cock / dick,** bite.

– Mon chien joue au poker avec moi.

– C'est fantastique ! Il doit être très intelligent.

– Pas vraiment. Chaque fois qu'il touche une bonne main, il frétille de la queue.

– Tu te rends compte que ton chien a aboyé toute la nuit ?

– Oui, mais ne t'inquiète pas, il dort toute la journée.

Il n'y a qu'une seule façon d'empêcher un chien d'aboyer en août, c'est de l'abattre en juillet !

Deux explorateurs marchent dans l'Arctique quand soudain un ours blanc féroce les charge. « Oh merde, » s'exclame le premier explorateur, pris de panique, « qu'allons-nous faire ? »

Le second explorateur ne dit rien mais pose tranquillement son sac à dos, met un bandeau et un short, échange ses chaussures de montagne contre une paire de tennis. Le premier se tourne vers lui et bredouille : « Tu es fou ! Tu n'as aucune chance de batte un ours blanc à la course ! ».

« Tu as raison, » réplique le second, « Mais toi, je te battrai sans problème. »

Deux hommes qui promènent leur chien se croisent dans un cimetière. Le premier dit au second : « Bonne journée. »

« Non », répond l'autre, « je promène juste le chien. »

---

2. **trainer:** *entraîneur* ; **trainers:** *chaussures de sport (tennis, basket etc.).*

3. **to outrun:** *dépasser / battre à la course, courir plus vite que...* Sur le même modèle : **to outbid**, *faire une meilleure offre, surenchérir* ; **to outgrow**, *dépasser en taille, devenir plus grand / important que...* ; **to outlive:** *survivre à* ; **to outwit**, *être plus malin que...*

4. **to walk one's dog:** *promener son chien.*

5. **morning, mourning:** *(en deuil)* l'astuce est dans la similitude de prononciation des deux mots : ['**mo**:nin].

A man sees a most unusual funeral procession approaching the nearby cemetery. A hearse is moving up the street slowly, followed closely by a second hearse. Behind this, with his head bowed, walks a solitary man walking a pitbull on a leash. Behind him are about 200 men walking single file[1].

Curiosity getting the better of him, the man approaches the man walking the dog.

'I know now is a bad time to disturb you,' he says to the mourner. But I've never seen a funeral like this. Who has passed away?'

The bereaved[2] looks up. 'Well, that first hearse is for my wife.'

'What happened to her?' the first man asks.

The funeral-goer[3] looks down at his pit bull. 'My dog attacked and killed her.'

The man nods solemnly 'Well, who is in the second hearse?'

'My mother-in-law,' the man answers. 'She was trying to help my wife when the dog turned on her.'

A poignant and thoughtful moment of silence passes between the two men.

'Could I borrow that dog? Says the first man, finally.

The mourner looks at him wearily. 'Get in line[4].'

---

1. **to walk single file:** *marcher sur une seule file, à la queue leu leu, en file indienne.*
2. **the bereaved:** *la famille, le(s) parent(s) du défunt* ; **to bereave:** 1. *priver, déposséder* 2. *ravir (un être cher)* ; *infliger un deuil, endeuiller.*

Un homme voit un étrange convoi funéraire se diriger vers le cimetière voisin. Un corbillard remonte la rue, suivi de près par un second corbillard. Un homme solitaire suit, tête basse, tenant un pitbull en laisse. Derrière lui, à peu près deux cents hommes marchent en file indienne.

Poussé par la curiosité, l'homme s'approche de l'homme au pitbull.

« Je sais bien que ce n'est pas le moment de vous importuner », dit-il à l'homme en deuil, « mais je n'ai jamais vu un enterrement comme celui-ci. Qui est décédé ? »

L'affligé lève les yeux. « Eh bien, le premier corbillard est pour mon épouse. »

« Que lui est-il arrivé ? » demande le premier homme.

L'homme en deuil regarde son pitbull. « Mon chien l'a attaquée et tuée. »

L'homme hoche la tête solennellement. « Alors qui est dans le second corbillard ? »

« Ma belle-mère », répond l'autre homme. « Elle essayait de venir en aide à mon épouse quand le chien s'est retourné contre elle. »

Un silence poignant, plein de réflexion, s'établit entre les deux hommes.

« Est-ce que je pourrais vous emprunter ce chien ? » dit finalement le premier homme.

L'homme en deuil le contemple d'un air las. « Mettez-vous à la queue. »

---

3. **funeral-goer:** *celui qui participe à / suit un convoi / cortège funèbre.*
4. **to get in line:** (surtout US) *prendre / se mettre à / la queue* ; (GB) **to [take the] queue.**

16

ART

L'Art

Rembrandt produced roughly 300 paintings – of which nearly 1,000[1] are in the US.

Rembrandt a peint environ trois cents tableaux dont environ un millier se trouve aux États-Unis.

---

1. **1,000:** notez la virgule qui sépare les milliers en anglais, là où autrefois, on mettait un point en français, remplacé aujourd'hui par un espace.

– Is this another of your abstract paintings?
– No, It's my wife you see in the mirror.

Classical music is music written by famous dead foreigners.

I'd like to donate[1] my paintings to a worthy charity[2].
How about the Institute for the Blind ?

The only thing he knows about Art[3] is that it's short for[4] Arthur.

Every time I paint a portrait, I lose a friend.
(John Singer Sargent[4])

An artist is a man who won't prostitute his art – except for money.

He wanted to paint her in the nude, but she insisted he keep[5] his clothes on.

---

1. **to donate:** *faire une donation*, *faire don* (fondation, œuvre de charité ou de bienfaisance).
2. **charity:** 1. *charité*, *bienfaisance*, *aumône* 2. *œuvre de bienfaisance*.

– Est-ce la une de vos peintures abstraites ?

– Non, c'est ma femme que vous voyez dans le miroir.

La musique classique est de la musique composée par des morts étrangers célèbres.

– J'aimerais léguer mes peintures à une bonne œuvre qui en vaille la peine.

– Pourquoi pas l'Institut des Jeunes Aveugles ?

La seule chose qu'il sache à propos d'art, c'est que c'est le diminutif d'Arthur.

Chaque fois que je peins un portrait, je perds un ami. (J.-S. Sargent)

Un artiste est quelqu'un qui refuse de prostituer son art, sauf pour de l'argent.

Il voulait la peindre sans ses vêtements, mais elle a insisté pour qu'il garde les siens.

---

3. **art**: *l'art*, mais aussi (avec une majuscule) abréviation du prénom **Arthur**.
short for: m. à m. *court pour*, *raccourci pour*, *abréviation de*.
4. (1856-1925) Portraitiste et paysagiste américain né en Italie.
5. Pas de **s** à **keep**: il s'agit d'un subjonctif après **she insisted**.

17

LAW & CRIME

La loi et le crime

I wanted to tell the truth, but my lawyer wouldn't[1] let me

Je voulais dire la vérité mais mon avocat m'en a empêché.

---

1. **wouldn't:** rappelons que l'auxiliaire **will** / **would**, outre qu'il sert à former les temps du futur / conditionnel, a également une forte valeur de *bon vouloir* (ou de *mauvais vouloir* à la forme négative).

My uncle is in prison. Since he's been there he's had his tonsils out, his appendix out and his wisdom teeth out. The governor thinks he's escaping bit by bit.

– It was obvious a murder had been committed. I lined up all the suspects except the butler.
– Why didn't you line up the butler?
– He was the one who's been murdered.

Constable[1]: – Excuse me, Sir but have you got permission to play that violin in the street?
Busker[2]: – Well, actually, no.
Constable: – In that case I must ask you to accompany me.
Busker: – Certainly, officer[3]. What would you like to sing?

– My father went to prison for something he didn't do.
– What didn't he do?
– He didn't run fast enough.

– Crime is growing. The other night, a guy in a mask took all my money.
– Where was that?
– I was in surgery.

---

1. **constable:** terme officiel qui désigne en GB un *agent de police* ou *policier* de base.
2. **busker:** musicien ambulant ou qui *fait la manche*.
3. **officer:** m. à m. *officier* ; appellation utilisée pour s'adresser à un policier.

Mon oncle est en prison. Depuis qu'il y est entré, on lui a enlevé les amygdales, l'appendice et les dents de sagesse. Le directeur le soupçonne de s'échapper morceau par morceau.

– Un crime avait été commis. J'ai fait aligner tous les suspects à l'exception du majordome.
– Et pourquoi pas le majordome ?
– C'est celui qui a été assassiné.

Agent de police : – Excusez-moi, monsieur, mais avez-vous une autorisation pour jouer de ce violon dans la rue ?
Musicien ambulant : – À vrai dire, non.
Agent de police : – Dans ce cas, je vous demande de m'accompagner.
Musicien ambulant : – Bien sûr, monsieur l'agent. Qu'allez-vous nous chanter ?

– Mon père est allé en prison pour quelque chose qu'il n'avait pas fait.
– Et quoi donc ?
– Il n'avait pas couru assez vite.

– La criminalité augmente. L'autre jour, un type masqué m'a pris tout mon argent.
– Où ça ?
– J'étais dans un bloc opératoire.

A lawyer[1] makes an impassioned plea to the judge in which he proves that his client, Bugsy, hadn't stolen the chickens as charged[2]. The case dismissed[3], the lawyer asks Bugsy, "You did steal those chickens, didn't you?"

Bugsy's answer: "I thought I did, but after hearing you, I'm not sure anymore."

The judge asked the jurors, "What possible excuse can you have for freeing this defendant[4] ?"

The first juror : "Insanity."

The judge said, "You mean that of all twelve of you?"

"Why did you shoot[5] your husband with a bow and arrow?"

"I didn't want to wake up the kids."

When I look back on my life, I think, hey, I haven't done too badly. I started off as an unwanted child and today I'm wanted[6] by at least six police forces.

"Doctor, I can't stop stealing things."

"Take these tablets for two weeks. If that doesn't work, get me a cell phone!"

---

1. **lawyer:** *homme de loi, conseiller juridique ; avocat.*
2. **to charge:** 1. *faire payer, prendre [de l'argent]* 2. *accuser*
3. *charger (une arme, au cours d'une attaque).*
3. **to dismiss a case:** *rendre une ordonnance de non-lieu, classer une affaire.*
4. **defendant:** 1 (pénal) *personne mise en examen, inculpé, accusé,* 2 (civil) *défendeur.*

L'avocat prononce une plaidoirie passionnée devant le juge, par laquelle il prouve que Bugsy, son client, n'avait pas volé de poulets comme on l'en accusait. L'affaire ayant abouti à un non-lieu, l'avocat demande à Bugsy : « Ces poulets, vous les aviez bien volés, n'est-ce pas ? »

Réponse de Bugsy : « Je croyais l'avoir fait, mais après vous avoir écouté, je n'en suis plus aussi sûr. »

Question du juge aux membres du jury : – Sur quel diable d'argument vous êtes-vous fondés pour relaxer le défendeur ?

Le premier juré : – La folie.

Le juge : – Quoi, celle de tous les douze ?

– Pourquoi avez-vous tué votre époux avec un arc et une flèche ?

– Je ne voulais pas réveiller les enfants.

Quand j'observe mon passé, je me dis, mince, je n'ai pas trop mal réussi : j'ai débuté comme enfant non désiré et aujourd'hui on me recherche dans six forces de police.

– Docteur, je ne peux pas m'empêcher de voler.

– Prenez ces comprimés pendant deus semaines. Si ça ne marche pas, procurez-moi un téléphone portable.

---

5. **to shoot:** *lancer* (projectile), *tirer*, "*shouter*" (ballon, balle) 2. *tirer un coup de feu, abattre / tuer d'un coup de feu, fusiller* 3. *chasser* 4. (film) *tourner*.

6. **wanted:** "*on recherche*" ; formule utilisée par la police à la recherche d'un suspect ou d'un criminel à l'affichage dans les commissariats et lieux publics.

18

POLITICS

Politique

**When I was a kid I was told anyone could become
Prime Minister. I'm beginning to believe it.**

Quand j'étais môme, on me disait que n'importe qui
pouvait devenir premier ministre. Je commence à le
croire.

Politics is the art of looking for trouble, finding it everywhere, diagnosing[1] it incorrectly, applying the wrong solutions and finding somebody else to blame.

I bear no ill-will[2] to my opponent. He did what any despicable little rat[3] would do in the circumstances.

He says he's the man to get the country moving[4]. He's right! If he is elected, I'm moving!

When a diplomat says yes, he means perhaps; if he says perhaps, he means no; and if he says no, it means he's not a diplomat.

It usually takes me more than three weeks to prepare a good impromptu speech. (Mark Twain)

My opponent has a problem. He won't get elected unless things get worse – and things won't get worse unless he's elected. (George Bush)

A conservative is someone who admires radicals[5] a century after they're dead.

Vote for the man who promises least; he'll be the least disappointing.

If voting changed anything, they would've made it illegal a long time ago.

---

1. **to diagnose** [daieg'**neouz**] (médecine) : *poser un diagnostic* ; *diagnostiquer, analyser*. **Diagnosis** [daieg'neousis] *diagnostic, analyse.*
2. **ill-will:** *mauvais vouloir, mauvaise volonté* ; *volonté de nuire : hostilité* ; **will:** *volont* ; *testament.*
3. **rat:** *rat* ; (argot) *salopard, salaud, enfoiré, fumier.*

140

La politique, c'est l'art de chercher les ennuis, d'en trouver partout, de se tromper dans leur analyse, d'appliquer les mauvaises solutions et de rendre quelqu'un d'autre responsable.

Je n'ai aucune rancune envers mon adversaire. Il a fait ce que n'importe quelle méprisable petite ordure ferait dans ces circonstances.

Il dit qu'il est l'homme qui va faire bouger ce pays. Il a bien raison ! S'il est élu, je m'expatrie.

Quand un diplomate dit oui, il pense peut-être ; s'il dit peut-être, il veut dire non ; et s'il dit non, cela veut dire que ce n'est pas un diplomate.

Il me faut habituellement plus de trois semaines pour préparer un bon discours improvisé.

Mon adversaire a un problème. Il ne sera pas élu à moins que les choses ne s'aggravent, et les choses ne s'aggraveront pas, sauf s'il est élu.

Un conservateur est quelqu'un qui admire les progressistes un siècle après leur mort.

Votez pour celui qui fait le moins de promesses : c'est celui qui vous décevra le moins.

Si voter changeait quoi que ce soit, il y a longtemps que ce serait interdit par la loi.

---

4. **to move:** bouger, se mouvoir ; faire bouger ; émouvoir ; déménager.
5. **radical:** 1. (adj.) *radical, extrême* ; *aux idées hardies / libérales / avancées* 2. (n.) *radical* ; *personne aux idées de gauche.*

19

RELIGION

Religion

– **Is there a God?**
– **God only knows!**

– Dieu existe-t-il ?
– Dieu seul le sait !

The new priest at his first mass was so scared he could hardly speak. After the service he asked the Bishop how he had done." Fine," said the Monsignor, "but the next time it might help you if you put a little whisky or brandy into your coffee to relax you".

The next week the priest put whisky in his coffee and really stirred up a storm. After the mass he asked the Bishop how he had done this time.

"Fine, fine", but there are a few things you should get straight:

1) There are ten commandments, not twelve.

2) There are twelve disciples, not ten.

3) David slew Goliath, he did not kick the sh*t[1] out of him.

4) We do not refer to Jesus Christ as the late J.C.

5) The Father, the Son, and the Holy Ghost are not Big Daddy, Junior and the Spook[2].

6) We do not refer to Judas as "El Finko[3]".

7) The Pope is consecrated not castrated, and we do not refer to him as the 'Godfather'»».

An atheist is someone who has faith there is nothing to have faith in.

My uncle believed in reincarnation. In his will, he left everything to himself.

---

1. sh*t: pour shit (voir note 1, chap. 15, p. 124) ; to kick / beat / knock the shit out of somebody, *frapper violemment / massacrer quelqu'un, péter / défoncer la gueule à qqn.*
2. spook: 1. *spectre, revenant, apparition* 2. (slang) *barbouze* ; (argot raciste) *bougnoule.*

Le nouveau prêtre, pour son premier office, avait un tel trac qu'il pouvait à peine parler. Après la messe, il demande à son évêque comment il s'en était sorti. « Bien », répondit l'Évêque, « mais la prochaine fois, vous pourriez mettre un peu de whisky ou de cognac dans votre café pour vous décontracter. »

La semaine suivante, le prêtre versa du whisky dans son café et déclencha une véritable tempête. Après la messe, il demanda à l'Évêque comment il s'en était sorti cette fois-ci.

« Bien, bien, mais il y a des petites choses à rectifier :

1. Il n'y a pas douze commandements, mais dix.

2. Il y a douze disciples, pas dix.

3. David a tué Goliath, il ne lui a pas pété sa sale gueule.

4. On ne dit pas "feu J-C" en parlant de Jésus-Christ.

5. Le Père, le Fils et le Saint Esprit ne s'appellent pas le Vieux, le Fiston et le Spectre.

6. On n'évoque pas Judas en l'appelant la Balance.

7. Le Pape est consacré, il n'est pas castré, et on ne l'appelle pas le Parrain. »

Un athée est quelqu'un qui croit qu'il ne faut croire à rien.

Mon oncle croyait à la réincarnation. Dans son testament, il s'est tout légué à lui même.

---

3. **El Finko** = **fink** (slang US, version hispanisée de **fink**): *indic, mouchard, balance* 2. *jaune, briseur de grève, traître* 3. *salopard, enflure, ordure.*

A man is driving down a deserted American highway when he notices a sign out of the corner of his eye. It reads, "SISTERS OF MERCY HOUSE OF PROSTITUTION – 10 MILES".

He thinks it is just a figment of his imagination, and drives on without a second thought. Soon he sees another sign which says, "SISTERS OF MERCY HOUSE OF PROSTITUTION – 5 MILES", and realises that these signs are real.

When he drives past a third sign saying, "SISTERS OF MERCY HOUSE OF PROSTITUTION"-NEXT RIGHT", his curiosity gets the best of him and he pulls into the driveway. On the far side of the parking lot stands a building with a small sign next to the door reading "Sisters of Mercy".

He rings the bell. The door is opened by a nun in long black habit who asks, "What may we do for you, my son?"

He answers, "I saw your signs along the highway and am very interested in doing business."

"Very well my son. Please follow me."

After leading him through winding passages, the nun stops at a closed door and tells the man, "Please knock on this door."

He does as he is told and the door is answered by another nun in a long black habit who is holding a tin cup. "Please place $50 in the cup, then go through the large wooden door at the end of this hallway."

He gets $50 out of his wallet and places it in the nun's cup. He trots eagerly down the hall and slips through the door, pulling it shut. As the door locks behind him, he finds himself back in the parking lot, facing another sign which reads:

"Go In Peace. You Have Just Been Screwed[1] By The Sisters Of Mercy".

Un homme roule sur une route américaine déserte quand il aperçoit du coin de l'œil un panneau qui dit MAISON DE PROSTITUTION DES SŒURS DE LA CHARITÉ : 10 KILOMÈTRES.

Il croit que son imagination lui a joué un tour et il poursuit sa route sans plus y penser. Il voit bientôt un autre panneau qui annonce MAISON DE PROSTITUTION DES SŒURS DE LA CHARITÉ : 5 KILOMÈTRES et il réalise que ces panneaux existent bien.

Lorsqu'il passe devant le panneau MAISON DE PROSTITUTION DES SŒURS DE LA CHARITÉ : PROCHAINE À DROITE, sa curiosité prenant le dessus, il s'engage dans l'allée privée. À l'extrémité du parking se dresse un immeuble avec une petite plaque près de la porte annonçant *Sœurs de la charité*.

Il sonne. La porte est ouverte par une nonne portant un long habit noir qui lui demande : « Que pouvons-nous pour vous, mon fils ? »

Il répond : « J'ai vu vos annonces le long de l'autoroute et je suis très désireux de faire affaire. »

« Très bien, mon fils ; suivez-moi. »

Après l'avoir guidé, à travers des couloirs sinueux, la nonne s'arrête devant une porte close et lui dit : « Veuillez frappez à cette porte ».

Il s'exécute et la porte est ouverte par une autre nonne en long habit noir qui tient une sébile en fer. « Veuillez déposer 50 dollars dans cette coupe, puis franchissez la grande porte en bois qui se trouve au bout de ce corridor ».

Il sort 50 dollars de son portefeuille, les met dans la sébile de la nonne. Il parcourt le long corridor au petit trot, franchit la porte et la referme. La porte s'étant bloquée derrière lui, il se trouve de retour sur le parking, avec devant lui un panneau qui dit :

ALLEZ EN PAIX. VOUS VENEZ DE VOUS FAIRE BAISER PAR LES SŒURS DE LA CHARITÉ

---

1. **to screw:** 1. *visser* 2. *pincer (les lèvres)* ; *plisser (les yeux)* 3. (slang) *baiser, tringler, tirer un coup* ; *niquer.*

A sales rep[1] travels all the way to Rome and somehow manages to get a private audience with the Pope himself. As soon as they are alone together the rep leans forward and says, "Your Holiness, I come on behalf of the Brewers Federation to offer the Vatican a million pounds per year if you would change the wording of the Lord's prayer to, "Give us this day our daily beer."

"Absolutely not", replies the shocked Pontiff.

"Okay, okay... I know it's a lot to ask... But if we were to[2] make it two million[3], just think how much restoration work could be done with that," continues the rep.

The Pontiff shakes his head[4].

"Okay...okay...my employers have given me the authority to go up to a maximum of three million pounds," continues the very determined rep.

Asking him to leave the room the Pope calls in the Cardinal, "When does our contract with Bakers Ltd[5] expire?"

– Why do Baptists object to fornication?
– They're afraid it might lead to dancing.

---

1. **rep** abréviation de **representative**, *représentant, délégué* ; **sales rep**: *représentant (de commerce), V.R.P., voyageur de commerce.* Le français "*repré*" existe dans ce dernier sens, mais seulement dans certains secteurs d'activité.
2. **if we were to make it**: *si nous devions monter à* ; noter la valeur de subjonctif de **were**.
3. **two million**: noter l'absence de "s" au pluriel, quand il s'agit d'un chiffre précis.

148

Un représentant de commerce fait tout le voyage de Rome et se débrouille pour obtenir une audience privée avec le Pape lui-même. Dès qu'ils sont seuls, le représentant se penche vers le Pape et lui dit :

– Votre Sainteté, je viens de la part de la Fédération des Brasseurs pour offrir au Vatican un million de livres par an si vous vouliez bien modifier le texte de la prière au Seigneur ainsi : – Donnez-nous notre bière de ce jour".

Réponse indignée du Souverain Pontife : – Absolument pas !

– Bon, d'accord... Je sais que c'est beaucoup demander ... Mais si nous disions deux millions de livres, imaginez combien de travaux de restauration ça représenterait », poursuit le représentant.

Le Souverain Pontife secoue la tête.

– D'accord, d'accord... Écoutez, mes employeurs m'ont donné toute autorité pour monter jusqu'à un maximum de trois millions de livres », insiste le représentant, très déterminé.

Lui demandant de quitter la salle, le Pape convoque le cardinal : – Quand expire notre contrat avec Les Boulangers Réunis ?

– Pourquoi les Baptistes sont-ils contre la fornication ?

– Ils craignent que ça mène à la danse.

---

4. **to shake one's head:** *secouer négativement la tête, refuser en secouant la tête, dire non de la tête*. Le contraire est **to nod** [**one's head**]: *accepter / approuver / donner son accord d'un hochement de tête.*

5. **Ltd:** *S.A.* ; abréviation de **limited**, adjectif qui désigne une société anonyme.

20

DRINK & FOOD

Boisson et nourriture

If you're rich you're an alcoholic, if you're poor you're just a drunk

Si vous êtes riche, vous êtes alcoolique. Si vous êtes pauvre, vous n'êtes qu'un poivrot.

While patrolling country lanes around his village a policeman notices a car being driven erratically[1]. With a burst of the siren he pulls the driver over, and walks to the car to ask the gentleman whether he's been drinking.

"Oh aye," says the man, quite proudly. "It's Friday, so a few of the lads and I went straight to the pub after work, and I must have had about six or seven there. Then we went to the bar next door, where they serve these great cocktails for a pound, so I had three or four of those. Then I gave my cousin a lift home. Of course he asked me in, so I had a brandy and took a bottle for the road."

"Sir, would you exit the vehicle for a breathalyser test", the officer says as calmly as he can.

"Why? asks the man . "Don't you believe me?"

An alcoholic is someone you don't like who drinks as much as you do.

Why I drink so much? Because I recently donated my body to science and I'm preserving[2] it in alcohol until they[3] can use it.

We were dining on the terrace when it started to rain. It took us an hour and a half to finish our soup.

---

1. **erratically:** *de façon désordonnée, irrégulière, imprévisible ; capricieusement, excentriquement.*
2. **to preserve:** *préserver, maintenir, conserver, mettre en conserve.*

En patrouille sur les chemins de campagne autour de son village, un policier remarque une voiture conduite de façon désordonnée. D'un coup de sirène, il arrête le conducteur et s'approche de sa voiture pour lui demander s'il a bu.

– Oh, ouais, répond l'homme, avec comme de la fierté. « C'est vendredi, alors les copains et moi on est allés directement au pub après le boulot et là, j'ai dû en boire environ six ou sept. Ensuite on est allés au bistrot d'à côté, où ils servent des cocktails formidables à une livre, alors j'en ai pris trois ou quatre. Ensuite j'ai raccompagné mon cousin chez lui. Bien entendu, il m'a fait entrer, donc j'ai bu un cognac, et j'ai emporté la bouteille pour la route…

– Monsieur, je vous prie de descendre du véhicule pour un test d'éthylomètre.

– Mais pourquoi, demanda l'homme, vous ne me croyez pas ?

Un ivrogne est quelqu'un que vous n'aimez pas qui boit autant que vous.

Pourquoi je bois autant ? Parce que j'ai récemment légué mon corps à la science et que je le conserve dans l'alcool jusqu'à ce qu'on puisse l'utiliser.

Nous dinions sur la terrasse quand il s'est mis à pleuvoir. Il nous a fallu une heure et demie pour terminer notre soupe.

---

3. **they can use it:** mot à mot « ils peuvent s'en servir ». La 3ᵉ personne du pluriel est souvent utilisée, parallèlement à la voix passive, pour rendre la forme générrale ou impersonnelle « *on* ».

I don't drink to be sociable. I drink to get drunk.

An Irishman walks into a pub and orders three pints[1] of Guinness[2], taking a sip out of each pint in turn. The barman says to him, "A pint goes flat[3] after I pull it – it'd be better if you bought one at a time".

The Irishman replies, "Well, I have two brothers, one in America and the other in Australia. We promised we'd all drink this way to remember the days we supped[4] together".

Over the weeks the Irishman becomes a regular customer[5] and always buys his drinks three at a time, until one day, when he orders just two pints. The other drinkers fall silent.

"I don't want to intrude on your grief," says the barman when the Irishman comes back for a second round, "but I want to say I'm sorry about your loss."

"Oh, no", says the Irishman, "my brothers are fit and well. It's just that I've given up drinking."

They say that liquor improves with age and I think they're right. The older I get, the more I like it.

A man walks into a restaurant and says: give me a table near a waiter.

---

1. **pint:** unité de mesure liquide équivalant à 0,56 litre. La bière, et notamment la Guinness, se sert traditionnellement à *la pinte* (**by the pint**), moins souvent à la "**half-pint**".
2. **Guinness** est une bière brune irlandaise célèbre dans le monde entier.

Je ne bois pas pour être sociable, je bois pour être soûl.

Un Irlandais entre dans un pub, commande trois pintes de Guinness, et boit tour à tour une gorgée dans chaque verre. Le barman lui demande : – La bière s'évente après que je l'ai tirée, vous feriez mieux d'en prendre une seule à la fois.

L'Irlandais lui répond : – Oui, mais j'ai deux frères, un en Amérique, l'autre en Australie. Nous nous sommes promis de boire de cette façon en souvenir des jours où nous trinquions ensemble.

Au fil des semaines, l'Irlandais devient un habitué et commande toujours trois bières à la fois jusqu'à ce qu'un beau jour il n'en commande que deux. Les autres clients s'arrêtent de parler.

– Je ne voudrais pas m'immiscer dans votre chagrin, dit le barman quand l'Irlandais commande sa deuxième tournée, « mais je voudrais vous dire que je suis désolé pour votre deuil.

– Ah mais non, fait l'Irlandais, mes frères sont en pleine forme ! C'est juste que je viens d'arrêter de boire.

On dit que l'alcool s'améliore avec l'âge et j'en suis bien d'accord : Plus je vieillis, plus j'aime ça.

Un homme entre dans un restaurant et dit: donnez-moi une table près d'un serveur.

---

3. **to go flat:** mot à mot *devenir plat*, d'où (pneu) *crever*, (bières, vins, aliments) *s'éventer, perdre son goût*.
4. **to sup:** (thé, bière) *boire (à petites gorgées)*, (archaïque ou dialectal) *souper*.
5. **regular [customer]** : *client régulier, habitué*.

– Do you think he drinks?
– Well, he didn't get that nose from playing ping-pong.

(about W.C.Field[1])

– Doctor, my hands won't stop shaking!
– Tell me, do you drink a lot?
– No, I spill most of it.

Six policemen stagger out of a pub. Which one drives?
The one that's too drunk to sing.

Diner: Wait a minute, what's your thumb doing on my steak?
Waiter: I don't want it to fall on the floor again.

– Waiter, what's this fly doing in my soup?
– Looks like the breaststroke to me, sir.

– Do you serve crabs in this restaurant?
– We serve anyone, sir.

– Waiter! Ther is a fly in my soup!
– Now that fly knows good food.

---

1. **William Claude Dukinfield**, dit **W. C. Fields** (1879-1941), après avoir commencé comme vedette du music-hall, ce célèbre acteur américain du cinéma des années trente, s'était spécialisé dans les rôles burlesques où son humour et sa trogne faisaient merveille.

– Pensez-vous qu'il boive ?

– Ma foi, il n'a pas attrapé ce nez-là en jouant au ping-pong !

(à propos de W.C. Field)

– Docteur, mes mains n'arrêtent pas de trembler.

– Dites-moi, est-ce que vous buvez beaucoup ?

– Non, j'en renverse la plus grande partie.

Six policiers sortent en titubant d'un pub. Lequel conduit ?

Celui qui est trop soûl pour chanter.

Client : – Hé, une minute, que fait votre pouce sur mon bifteque ?

Serveur : – Je ne veux pas qu'il tombe encore une fois par terre.

– Garçon, que fait cette mouche dans ma soupe ?

– On dirait qu'elle nage la brasse, monsieur.

– Vous servez des crabes, dans votre restaurant ?

– Nous servons n'importe qui, monsieur.

– Garçon ! Il y a une mouche dans ma soupe!

– Ah voila une mouche qui connait la bonne nourriture !

A man called the King Brothers Chinese Restaurant for some food:

"Hello...King Brothers Restaurant," a man answered.

"Are you Wang King, the Manager?

"No, I'm Foo King[1], the Chef."

"Sorry..., I'll call back when you're not busy."

Diner: "Look out! You've got your thumb in my soup!"

Waiter: "Don't worry. It isn't very hot."

"Waiter, there's a dead fly in my soup."

"Yes sir, it's the heat that kills them!"

A refrigerator is the place where you keep leftovers until they are ready to be thrown out.

The trouble with that restaurant is, it's so crowded nobody goes there.

---

1. **Foo King:** la prononciation prêtée aux personnes originaires d'extrême-orient les empêcherait de distinguer entre le son [^] et le son [ou], **fooking** serait donc compris comme **fucking**. (**to fuck**, *baiser*).

Un homme téléphone au Restaurant Chinois des Frères King.

– Allô… Ici le Restaurant des Frères King, répond quelqu'un.

– Est-ce que vous êtes Wang King, le Directeur ?

– Non, je suis Foo King, le Chef.

– Oh, excusez-moi, je rappellerai quand vous ne serez plus occupé.

Client : – Faites attention, vous mettez votre pouce dans mon potage !

Garçon : – Ne vous inquiétez pas, il n'est pas très chaud.

– Garçon, il y a une mouche dans ma soupe !

– Oui monsieur ; c'est la chaleur qui les tue.

Un réfrigérateur est un endroit dans lequel vous conservez les restes d'aliments jusqu'à ce qu'il soit temps de les mettre à la poubelle.

L'ennui avec ce restaurant, c'est qu'il est tellement plein que personne n'y va.

Composé par DÉCLINAISONS

Imprimé en France par

BUSSIÈRE

à Saint-Amand-Montrond (Cher)
en septembre 2011

POCKET - 12, avenue d'Italie - 75627 Paris Cedex 13

N° d'impression : 112933
Dépôt légal : mai 2008
Suite du premier tirage : septembre 2011
S17863/04